AIは人類を駆逐するのか？

自律（オートノミー）世界の到来

太田裕朗
OHTA HIROAKI

幻冬舎MC

はじめに

ＡＩ（人工知能）の進歩は、とどまるところを知りません。

グーグルの関連企業が開発した囲碁のプログラム（ＡＩ）が２０１７年、世界最強棋士に全勝して大きな話題となったことを覚えている方もいると思います。複雑な戦略を求められる囲碁というゲームでＡＩが人間に完全勝利を収めた事実は、ＡＩの可能性を世界に強く印象付けることとなりました。また、将棋の世界では２０２０年４月、斬新な戦法を考案した将棋棋士に贈られる「升田幸三賞」が、人類が気付くことがなかった「エルモ囲い」という戦法を考案したＡＩ（将棋ソフト「エルモ」）に与えられることになったのが注目を集めました。

今やＡＩは、「自ら学習する」という能力をますます高め、人間の頭脳を上回るようになったと言っても過言ではありません。

そんな高度なＡＩが組みこまれた「機器（ロボット）」が、これまでよりも多様な場面で私たちの暮らしを支える未来は、すぐそこまで来ています。ただし、その結果、どのように世界が生まれ変わるのか、具体的にはまだ誰も想像することができません。

「ロボットによって暮らしが便利になるなら、とにかくいいことなのでは？」

そう思う方もいるかもしれませんが、事はそう単純ではありません。なぜなら、これからのＡＩが搭載されたロボットは、「自動的に動く」存在から「自律的に動く」存在へと、さらに劇的に転換していくからです。

ロボットが自動的に動くとは、それが自動制御（オートメーション：automation）によって動く、ということです。彼らは人間が与えた動作手順に従って、人間の手を介さずに作業や操作を実行してくれる便利な存在です。工場で動く工作機械などが、その典型と言えるでしょう。ですから、どういう入力をしたら、どういう出力があるべきかというロジックも動作のシナリオもすべて人間が書いており、あらかじめ決まっています。この場合、ロボットは、人間の作業を代行するための存在であり、原則、彼らが人間の想定外の行動に出るということは、あり得ません（もし発生したら、それはプログラムの書き間違いであり、人間のミスです）。

一方、ロボットが自律的に動くとは、それが自律性（オートノミー：autonomy）を獲得していることを意味します。自律とは「自らを律する」と字のとおり、他の支配を受けず、自分が持つ規律に従って行動を設計し、実行することです。

自分の行動を選択するとき、人間なら身体的な感覚や感情、さらには道徳や倫理まで動員して、意思決定を行います。「私は～したい」「～すべきだ」「～すべきではない」という内発的な決断を通して、行動に移ります。

人間には、長い進化の歩みの中で獲得された生存意欲があります。本能と呼ばれるものです。人間のあらゆる意思決定の根底には、それが生存にどう寄与するかということに翻訳され、ある意味でスコア化されたものがあるのです。

では、ロボットではどうなのか。生きた肉体を持たないロボットが、生存価値を最上位とする本能を自分の力で身に付けることはありません。何が価値あるものなのか、その根本を自分でゼロから探し出すことはできないのです。しかし、ロボットに行動の選択をさせるためには、価値判定のための何らかのルールが必要です。結局それは、人間が授けるものになるでしょう。

実際今の研究者たちは、より人間の脳に近いやり方でＡＩに物事を学習させようとしており、日々、その精度は向上しています。その結果ＡＩは、目的の与え方次第では、その実現のために作業内容を決め、操作を選択するということが可能になっています。

これからのＡＩは、あたかも人間のように「自分で考え、答えを出し、実行する」ことが、無数の局面で可能になっていくでしょう。

このような「高度な自律性」を持った存在は、地球上にはこれまで人間しかいませんでした。

ですが、ある部分では人間より処理能力の高いＡＩが、近い将来そのような自律性を獲得しようとしています。人間の命令を待たず、自ら判断して行動するＡＩが組みこまれた機器が街中に溢れたら、社会はいったいどんな姿になるのでしょうか。

その未来は、必ずしも「世の中がますます便利になってありがたい」と、手放しで喜べるものとは限りません。「便利で助かる」などと、気楽に構えているわけにはいかないのです。

なぜなら高度に自律的なＡＩを〝脳〟に持つロボットは、新たな〝知的生物〟にすらなり得るからです。つまり、私たち人類は今、史上初めて、自分たちを上回る性能と可能性を秘めた〝知的生物〟と共存する時代を迎えようとしています。

20世紀、人類は原子力、そして遺伝子操作という、使い方によっては自らの生存を根底から脅かしかねないテクノロジーを手に入れました。そして21世紀、人類はＡＩによって自律して動くロボットという、同じように自らの生存を左右しかねないテクノロジーを実用化しようとしています。

大切なことは何を授けるかです。

育て方次第でそれは人類の脅威ともなり得るし、人類をより豊かで平和な世界に導く福音ともなり得る。私たちは、リアルな体を手に入れたＡＩに何を教え、いかに共存するべきかについて、今こそ真摯に考察し、議論を交わしていかなければなりません。

私は本書を通し、「自動」から「自律」への道のりをたどりながら、人間社会への影響、そしてあるべき未来について、時に案内役となりつつ、皆さんと一緒に考えたいと思います。「ＡＩの進歩」のように大まかに語られがちなテーマだからこそ、専門用語をできる限り避け、分かりやすく、しかし多くの話題を丁寧に解説していくなかで、新たな〝知的生物〟との未来について、皆さんの問題意識を喚起していくつもりです。

もともと私は、物理学者を目指し京都大学で研究生活に入りました。その後、縁あって、のちにノーベル賞を受賞されるカリフォルニア大学サンタバーバラ校（ＵＣＳＢ）の中村修二先生に出会い、招聘されて渡米。２０１０年に帰国してからは、しばらくマッキンゼー・アンド・カンパニーでコンサルタントの仕事に就き、２０１８年３月からは自律制御システム研究所（ＡＣＳＬ）の代表として会社経営を預かっています。

ＡＣＳＬでは、ドローンというロボットが外部からの指令もなく自律的に作動する技術を開発しています。そうした事業に関わる者として、様々な課題や疑問に日々直面する中で、将来の人類の絵姿をも考える機会が多く与えられています。こうした思考をもとに、ロボットと人間が織りなす「未来」がどうあるべきかについて、ここできちんと整理しておきたいという思いが沸き起こりました。

今後、自律したＡＩ、ＡＩを〝脳〟に持つロボットがさらに進歩していけば、私たちは人類として、その存在価値がよりシビアに問われていくでしょう。

そうした時代の到来を控える今、本書がテクノロジーと人類の未来を考える多くの方にとってなんらかのヒントになれば幸いです。

AIは人類を駆逐するのか？　自律世界の到来　目次

［第2章］自動が内包する自律への動き

AIは人類を駆逐するのか

［第3章］　ＡＩをどう教育すべきか
――自律世界の未来を定めるのは人間である

[第4章] 22世紀は自律する頭脳と共存する時代になる

［序章］

自律世界（オートノミー）の到来

AIがすべてを支配する社会がもうそこまで来ている

今から30年後——人によってはもっと早いと言うかもしれません——社会は劇的に変わっているでしょう。

鉄道や自動車、バスなどの陸上交通はすべて自動運転になり、運転者の姿はなく、駅舎に人はいません。空を見上げれば飛行機やヘリコプターが無人で飛び、ドローンが荷物を運んでいます。何をどこに運ぶかはすべて機械が把握しており、目的地さえ示せば、天候の変化や地形を刻々と読み、突然現れる障害物も巧みにかわしながら、任務を完了し基地に戻ります。いったい、だれが指示を出し、操縦しているのか。社会全体を、だれが動かしているのか。

それは人ではありません。

店舗では、どの商品をいつどれだけ補充すべきか、すべて自動化されています。人が発注したり在庫を管理する必要はありません。決裁も自動です。従業員は手持ちのスマートフォンに送られてくるタスクに従って、自動化されていないわずかな業務をこなすだけです。

食料をはじめとするすべての商品も、市場の動きと在庫状況から工場における毎日の生産量が自動的に決められ、各店舗へ必要な数が配送されます。

人々の生活も、限りなく自動化されています。

何時にどこへ行くか、スケジュールが明示され、それにふさわしい移動手段が用意され、確実に運んでくれます。何を着るか、誰に連絡するか、空き時間をどのように使うか、どこで何を食べるか、すべてについてリコメンデーションがあります。たまにはそれに逆らっても、ロボットはすぐに学習し、次はそれを織り込んで提案してくる。

それはまるで誰かとメールをやりとりしたりチャットをしているようですが、答えているのは人工知能ロボットです。そこに人はいません。

もはや何も考える必要はないのです。完璧に自分にフィットした環境が用意され、ストレスなく生きていくことができる。

近未来――それはＡＩがすべてに采配を振る世界です。社会も人も、自律して動くシステムに編み込まれ、あたかも一個の巨大な機械のように動いています。

ところがある日、大きな地震も起きていないのにシステムが止まる。

どこかで地震があったのか。それとも、地震が来そうだと判断できるなんらかのシグナルがあったのか。システムのどの部分でどのような判断がくだされたのかは、その複雑さゆえに誰にも分かりません。

しかしシステムは、ある判断をもとに、鉄道や陸上輸送をすべて止め、エネルギー生産や工場の稼働を止め、それに接続する物流も止める。街中の車はじっと動かない。

突如訪れた停止、不気味な沈黙の世界です。

ブラジルでの小さな蝶の羽ばたきが、遠くテキサスに竜巻を引き起こす――ほんのわずかな入力の差が次々と伝播しマクロの結果を変えてしまうというあの「バタフライ効果」に似たものがシステム内部で起きたのでしょうか。あるいは、システムの頭脳であるＡＩが、データに騙されたのでしょうか。

ＡＩが判断の根拠にするのは定量的なデータです。ＡＩが騙されてしまったのかもしれないのです。直感は働かないし「虫の知らせ」もない。人間のように「何かおかしい」と皮膚感覚で疑ったり立ち止まったりするということは一切ありません。

しかし、真偽は確かめようがありません。人類の知能を超えたＡＩが何に気づいたのか、人が瞬時に追いついて理解することができなくなってしまっているのです。

もちろん今述べたのは、誇張かもしれません。それを防ぐ仕組みも考案されていくでしょう。しかし、分散した自律判断が大量に集まってさらに大きな頭脳システムになり、ロボットや機器といった体を手に入れ、人類がそういった機器に囲まれて生活している世界が到来しようとしているのです。そこでは、判断要素が大量に複雑に絡み合い、人の予測不可能な世界になっているのです。

その頭脳の総量は、人の脳をはるかに超えています。地上の全人口の脳をあわせても足りないかもしれません。原理的に、もはや人が確認することすらできなくなっているのです。人工知能にせよアルゴリズムにせよ、その管理、チェック、更新、牽制などの大部分のことを、人工知能自身がやっているのかもしれません。

いつの間にか、人工知能が個々の人工知能を管理し統括するという世界が訪れています。一つひとつの局面では、人が便利だと賞賛してきた人工知能の機能が集合し、社会システムとなって、まるで天空を覆い尽くす雲のように拡がり、人間社会の隅々までコントロールし支えています。

振り返れば、あらゆるとき、あらゆる場面で人は「自動だったらどんなにいいだろう」と望み続けてきました。

特に近代科学の誕生を背景に工業化が進み、やがて資本主義がほとんど唯一の経済様式となるに及んで、オートメーションによる効率化は最大の価値となりました。

人は効率化のための道具を開発し続け、これが20世紀を、自動化が行き渡っていく世紀にしました。決して誇張しているのではありません。今、すでに身の回りの家電のほぼすべてにマイコンというコンピューターが入り、動きを制御しています。人に寄り添うため、その存在を静かに消してはいますが、コンピューターは人の生活のあらゆる面を支えています。自動ドア、自動改札、プリペイドのお金の補充、自動ブレーキ……人の生物的な能力は1万年前とほとんど変わらないのに、人はあらゆる自動化を受け入れ、能力を拡大し、慣れ親しんでいます。

そしてこれらの自動の延長に誕生した自律世界。

しかし、用心が必要です。人間が自分のために考え出し、自分のために奉仕するものとしてつくりあげた自動システムが、いつの間にか人間の手を離れ、人間が理解できないところで人間をコントロールする存在になっているからです。「便利な機能」として無警戒に歓迎し受け入れた自動装置が、気がつくと、その全貌を捉えることすら難しい巨大な自律世界を形成し、私たちの一挙手一投足監視し、管理し始めている。それが判断し、指示を下す根拠を知ることもできないままに……。

近未来の話はここまでにします。

今なら余裕を持って間に合います。自動とは何か？　自律とは何か？　改めて考えてみたいと思います。

まず自動の世界を探ります。

なお、本書におけるＡＩという言葉の使い方についてあらかじめお断りしておきます。ＡＩという言葉の意味するものは人によって大きく異なり、最近ではDeep learningや機械学習をする人工知能に限ってＡＩと呼ぶ人もいます。しかし本書では、機械学習のような手法に限ったものではなく、より広く、機械に自動化・自律化の知能を持たせる技術全般を指すものとしてＡＩという言葉を使っています。

［第1章］

コンピューターによって加速する自動化「自動」と「自律」は何が違うのか

いたずらにエネルギーを消費することはできなかった

例えば自動ドアや自動販売機、全自動洗濯機、食器洗い乾燥機……自動化されたものは生活の中にあふれかえっています。今さら珍しいと注目する人もいません。しかし、改めて自動とは何か、自律と何が異なるのか、と問われたら、その答えは結構難しいのではないでしょうか。そもそも自動とは何かということについて、その歴史を振り返りながら考えてみます。

地上で生活を始めたときの人類にゆとりはありません。その日を生き延びるエネルギーを確保するため、狩猟や採集を安全に、素早く行わなければならなかったからです。

最初は、歩き回っても何も得られず、待ち伏せしても成果なしということが常だったでしょう。しかしその間もお腹がすきます。無駄に動き、作業をすることは、極端に言えば身を滅ぼすことにつながるのです。

歩き回って食料を探しエネルギーをいたずらに消費するよりは、罠を仕掛けて安全なところに潜み、それを見張り、あるいは時々見に行くほうがいい。そう気が付いたときから

〝自動〟への歩みは始まりました。

確率の低いこと、単純に繰り返すこと、結局無駄ではないかと思うことはできる限り回避し、どうすれば楽ができて、つまりお腹がすかず疲れずに生存していけるかと考えるのは、人間のごく自然なありようです。それはエネルギーを消費して生きている生物の最も根幹の欲求です。

人の深部に宿る省力化と自動化への欲求

この省力化と自動化への志向は、私たちの祖先が地上で支配的な地位を得てからもなお、私たちの深部に生物的な原点として残されています。

なんらかの動きの入力に対して、人の手を介さなくても反応が起こるさまざまな仕掛けや仕組みを、人類はずっと工夫し続けてきました。歯車や滑車などの機構や、物の反発力、水力、風力などの自然が持つエネルギーを巧みに活かす仕組みなどです。

複雑な計算の自動化も、人類が古くから試みてきたことでした。１９０１年に、地中海の沈没船から引き上げられた「アンティキティラ島の機械」は、青銅で作られた歯車式のもので、紀元前の古代ギリシャ人が天体運行を計算するための機械だったことが判明しています。

天体運動を計算で導くことができたのは大変なことですが、おそらく最初は、途方もなく単純な繰り返しの計算に倦んで、誰かが素朴な機械を使ってやってみたのでしょう。計算の一つひとつは、恐ろしいほど退屈な作業です。それが自動化できればどんなに楽か、という衝動に突き動かされ考案された自動機械だったと思います。

人が設計したままに正確に動かすことから

蒸気機関や内燃機関の発明も、動力を発生する運動を、機械力で自動化したものということができます。

さらに機械工学が発達するなか、工場では、製造ラインの自動化、梱包や運搬の自動化が進みました。自動車生産工場における自在に動くロボットアームの活躍はよく知られています。

特にロボットアームの進化はとどまるところを知りません。まるで人の手のように、より柔軟にいろいろなものがつかめるようになり、工場作業からコーヒーを入れる作業まで、あらゆる人の作業を次々と置き換えています。

市民生活のなかでも、自動ドアやエレベーター、エスカレーター、さまざまな自動販売機などが誕生しました。

さらに、コンビニエンスストアを無人化=自動化する、レストランを自動化するといった試みも、少しずつ始まっています。これは今後も拡大していくでしょう。商品棚に陳列されているあらかじめ限定された商品の購入や、ある範囲に限定されたメニューの中からの選択といった「閉鎖環境」における自動化は容易です。どういう結果が得られればよいかということが明確であり、それに合った技術が開発されればいいだけだからです。

つまり自動化とは、あらかじめ決められた環境の下で、自然科学や工学に基づいて、機械的な機構、動作手順などを設計し、一連の動作を人が手を下さなくてもいいようにしたものといえます。

それはあらゆる状況において、想定したとおりに動くものです。人が設計した動作と実際の動作はまったく同じです。繰り返しの単純作業、あるいはルールに基づく機械的な作業などは、ことごとく自動化されていきました。

そしてこの自動化の対象を一気に拡大し、また自動のレベルを高度化させたのはコンピューターでした。

コンピューターが加速した自動化

人間は、その進化の歴史の中で、さまざまな機能をアウトソーシングしてきました。初期には火を使って食物の消化機能を外に託し、脚の代わりに車輪を作り、記憶力を強化するために文字を発明して使いました。そして、時代が大きく下るとコンピューターを発明して機械仕掛けの脳へと進んだのです。

コンピューターは、それまでの〝人間機能のアウトソーシング〟の枠を、大きく超えるものになっていきました。

発明のきっかけは、第2次世界大戦のころに暗号解読や原爆の設計、航空機の設計、ロケットの軌道計算など、多くの場面で計算の必要性が高まったことです（昔も今も、科学技術の進歩は軍事技術として求められることから始まっています）。アルゴリズムはすべて既知でした。あとは、どうやって自動計算するかです。科学的・工学的には、すでに分かっているあらゆることを自動化していくという技術革新が、20世紀半ばころに起きますが、その代表格が高速計算機としてのコンピューターです。

コンピューターにより自動化は広範に、また高度に進み始めます。機械を動作させるためのスイッチオン・オフ、パラメータの変更などの指示がコンピューターにより可能になったからです。

現代の〝コンピューターの父〟と呼ばれるのが、ハンガリー生まれのアメリカの数学者、ジョン・フォン・ノイマンです。彼は１９４５年にコンピューターの動作原理を示しました。「フォン・ノイマン型」と呼ばれます。

演算装置、制御装置、記憶装置（メモリ）、入力装置、出力装置とこれらの間をつなぐデータ伝送機構から構成されるこのコンピューターは、記憶部にあらかじめプログラムを格納、プログラム実行時はここからから命令が転送され逐次実行されます。従来のコンピューターでは配線の変更でどのような計算を行うかをプログラムしていたので、計算のたびに配線をつなぎ替える必要があり、手間が掛かっていたのですが、プログラムを命令として記憶装置に格納するノイマン型では、つなぎ替えの必要がなくなり、同時にどのような形式の命令を用意するかという概念が生まれました。

メモリに命令とデータを格納し、順次実行していくという基本構造は、指令する内容をソフトウェアだけで書き換えることができるという強力なもので、現在のコンピューターシステムにも踏襲され、指導的な原理となっています。

このコンピューターが、自動化を加速し、より高度なものに変えていきます。

動作手順は設計する必要がありますが、何が起きたら、何がどのように動くようにトリガーを引くか、命令としてソフトウェアに書き込んでおけばいいのです。

身近な例では、家庭にある家電が、過去50年くらいですべて変わりました。機械仕掛けだけだったものがマイコン入りになり、賢く自動化されていきました。なかでも、一番手間のかかる家事に関わるものから進んでいったのです。

全自動の洗濯機、同じく全自動の炊飯器、食器洗い乾燥機、やがては掃除ロボットなどが次々と登場しました。それによって家事の負担が大きく減り、子育てをしながら働きに出ることも難しくなくなっていきました。外で働く時間が増え、余暇に使える時間も伸びていったのです。

マイコン搭載の炊飯器には温度センサーや圧力センサーなどが入っていて調理に最適な温度を管理します。全自動洗濯機も進化し、今では洗濯物の量に応じて自動で必要量の洗剤や柔軟剤を洗濯槽に投入したり、連携したスマートフォンやスマートスピーカーでリモート操作することができるものが登場しています。

自動を支えるのは工学的な指導原理

エアコンの進化も著しく、室内にいる人数や居場所、状態をカメラで見ながら運転の強度や風の向きを変えることができたり、室内の温度分布を読み取りながら、ムラがないように調節するものなどが登場しています。(ただし「AI洗濯」「AI搭載エアコン」などと表現されているのは正確さを欠くといえるかもしれません。そもそもAIという用語が厳密に定義されないまま使われているという社会事情はありますが、「この場合はこうする」ということがあらかじめプログラムに書き込まれていて、それを自動的に選択しているというだけのものをＡＩと呼べるかどうか。一口にＡＩといっても、現在のところその内容はさまざまです）。

家電も車も、最初に進んだのは機械的な機構の開発競争です。しかし、いったん機械として完成し、それが成熟すれば、どうしたらもっと効率が上がるかという話になります。科学的、工学的な指導原理の下、安価なコンピューターがあればそれができるということになり、コンピューターが、当初の軍事用から、一般のところに入ってくる。それがこの半世紀ほどの動きといえるでしょう。

計算能力は物理的な実体から離れて集積できる

しかも、コンピューターの計算能力の高度化は目を見張るものがありました。

１９６０年代中頃にアメリカで開発された新しいデバイスである半導体メモリ、特にＤＲＡＭ（Dynamic Random Access Memory）は、その後の半導体の高集積化の牽引役を果たし、コンピューターの急速な性能向上と小型化を実現していきます。多くの人が、わずか1年、あるいは半年で「この性能のものがこの価格で買えるの？」と驚くメモリの進化を生々しく覚えていると思います。

「ムーアの法則」という言葉に聞き覚えのある人も多いと思います。インテルの創業者であるゴードン・ムーアが論文で唱えたもので、「半導体の集積率は18カ月で2倍になる」というものです。

つまり半導体製造技術の進化によってトランジスタの小型化が進み、ウエハー上の同じ面積に設けることができるトランジスタの数は18カ月毎に2倍になるというのです。トランジスタの数が2倍に増えればコンピューター（ＣＰＵ）の性能も倍増します。3年後には4倍、6年後には16倍、9年後には64倍になる。

実際そのとおりのことが起こり、もう限界といわれ続けながら現在までこの法則がほぼ貫かれていることはご存じの通りです。

なぜこういうことが可能なのか。

それは演算をする半導体のチップが、まったく同じ計算機能を維持したまま増やせることです。演算という原理は、スケールとは無関係なのです。小さく作ればより集積し、より多くの計算が可能になる。

言語の発明も、物理な量とは無関係の抽象的なものですが、計算というものも、物理的な実態から離れたバーチャル、サイバーの世界に集積できるのです。しかもコンピューターには休みもいりません。もっとも、冷却が必要なので電力は使います。現在、コンピューターは世界中で作られている電力の10%を消費しているという試算もあります。相当に大きな量といえますが、人間がエネルギーの20%を脳に使っていることを考えれば、地球上の社会を一個の生物と考えた時の頭脳に当たる部分のエネルギー消費量としては、人並みになってきたといえるのかもしれません。

ただし、人間の脳活動は化学反応です。生命の中の物質が反応する化学的なものですから小さくすることはできません。能力を上げるためには大きくするしかないのです。もちろんそれはできない。つまり人間の脳の処理能力には、頭蓋骨の大きさという物理的限界があるのです。

コンピューターの小型化により、家電などの制御が非常に細かくできるようになりました。テレビ、携帯電話、パソコンなどの情報機器も、電波を受け取ったらどのように処理するか、バッテリーが低下した場合どう対処するか、基地局からの距離に応じて電波の強さを自動的に変えるなど、あらゆることが、人がそのたびに指示しなくても最適な動作が選択できるように自動化されています。

改めて言うまでもなくこれらはすべて最適動作の自動化です。こうすれば、効率よく快適に運転できるということは分かっていて、それを自動的に実行しているのです。周囲の環境をさまざまな形で把握するセンサー、高速で演算を行うコンピューター、そのうえで動作するソフトウェア、さらにエネルギー源と動作機構（機械）という四つが組み合わせられることで可能になったものです。

まず周りの環境を理解し、データを解析し、さらにアルゴリズムにしたがって、どうするかという指示を作って実行する――この流れは普遍的なものであり、この点では動物の動作と同じ高度な自動装置といえるでしょう。

工学的な「自律制御」は自動か自律か

コンピューターの性能がさらに向上することで、家電に端を発した初期の自動化は、さらに高度化し、広範囲に普及し始めます。刻々と変わる状況ごとに、決められたアルゴリズムのもとで、AならX、BならYを行うという判断を自動的に行い、末端の機械装置に伝えていきます。

特に原子力発電所、飛行機、ドローン、ロケット、人工衛星などの工学的な制御分野において自動化は急速に進みました。危険なこと、事故の際の代償が大きいものをできるだけ自動化し、人による誤動作を排除しようとしていったのです。当初コンピューターは非常に高価でしたが、こうした大掛かりな最先端の工学装置には積極的に実装されていきました。

例えば航空機は、万一墜落すれば大惨事となる乗り物です。できるだけ、人間を介さないで自動化したいという要請が当初からあり、早い段階から「オートパイロット」が採用されています。空の上では、陸上のように人が飛び出してくるといった心配はありません。

そのことも自動化の難易度を下げることにつながりました。当初のコンピューターはそれほど計算能力が高かったわけではありません。しかし、空の上であるが故に、複雑性をもたらす人為的な要素が排除できたことがオートパイロットの導入を容易にしました。

ほとんどの時間をオートパイロットで飛んでいる旅客機

オートパイロットは、GPSの情報や飛行場からの情報、気象情報、周囲の航空機情報、また機体の状況を克明に把握しています。そして、あらかじめ設定した針路と高度を維持するようにアルゴリズムに基づいて飛行経路の自動補正や機体の姿勢制御、高度・速度の維持などを行います。

離陸時だけは手動で操縦することが一般的なようですが、上空に達すればオートパイロットに切り替えることが認められ、航空会社によっては、安定した高度での巡航時は手動操縦をせずオートパイロットで飛ぶことを取り決めとしています。

また、着陸時も計器着陸システムに対応した空港であれば、自動操縦のままで着陸することができます（実際には多くの機長が手動操縦を選択しているといわれていますが）。

いずれにしても、現在の飛行機は、ほとんどの時間をオートパイロットで飛んでいます。主翼が見える席に座れば、着陸時にフラップがせり出してきたり、スポイラー（翼の一部分）が斜めに立ち上がる様子が見えます。いずれも微妙な動きを繰り返しますが、動作一つひとつを操縦士がコントロールしているわけではありません。あらかじめプログラムされた内容に沿って、刻々と変わる速度や高度、機体の傾き、風の抵抗などをパラメータとして機械が自動的に動かしているのです。

専用軌道を走る鉄道も、速度の把握、センサーによる停車位置の把握、動力をどのくらい出すと加速がどの程度なのかといった工学的なアルゴリズムがあれば、自動で走らせることができ、すでに実用化されています。

ただし、こうした制御は、いかに高度に見えようとも本書が扱う「自律」ではありません。

オートパイロットの指導原理は、工学的にすべて究明されているからです。主翼や尾翼などの翼、複数のエンジンの出力など、すべてをどのように組み合わせて調整するか、その方程式は証明されているのです。

航空機の自動制御もロジックは人が構築

あとは、それをコンピューターで計算して「自律制御」させています（機械工学の分野では伝統的に自律という言葉を使っていますが、内実はあくまでも自動制御です）。難解な制御工学という学問体系がつくられ、原理的には分かっていることを難しい計算をしたうえで自動化しているということです。機械自らが判断しているわけではありません。一見複雑でも、いわゆる理系の工学知識で完全に理解できるのです。

つまりここで行われているのは、多くのセンサーからの入力を受け、どう動くべきかの選択をコンピューターが行うというものです。どう動くかは、膨大な何十万行のプログラムとしてあらかじめ記述されています。この実装は大変難しいもので、コンピューターが、何をどう判断して行動を選択したのか、詳細なプロセスは多くの人間には見えにくいのですが、設計したエンジニアにとってはロジックは完全に見えている。すべては人間が想定した範囲内のことです。

ドローンはこう制御されている

私が現在代表を務める自律制御システム研究所（ＡＣＳＬ）が商用化しているドローンも、自ら飛行制御をして飛ぶもので、アルゴリズムを使った工学的な制御の最も先進的な事例の一つとなっています。この例を使って、自動化技術の仕組みを垣間見てみたいと思います。

日本の国交省が定めるドローン飛行の定義では「Level3」に相当し、人が少ない地域であれば、目視外飛行、つまり人が見えないところまで寄り添う人がいなくても単独で飛んでいくことができます。

点検や防災での活用に加え、すでにドローンでものを運ぶという配送の試験も始まっています。まだまだ限定的な例ですが、豪雨で被災し孤立した地域に物資を輸送したり、過疎地へのドローン配送の実用化も進んでいます。

ドローンは今後も、エッジ型と呼ばれますが、機械本体に搭載したコンピューターで判断できるようにどんどん高度化され、自律化された装置としての性格を強めていくでしょう。その一方で、5Gなどの通信を使い、システムに組み込まれ社会インフラのネットワークとも連動していくことになるとみられています。

ドローンの飛行制御について、少し触れておきます。

ドローンは複雑な機構で飛ぶものという印象があるかもしれません。しかし、わずか何枚かのプロペラの回転数の変化だけで、上下、左右、旋回などすべての動きをコントロールしています。あらゆる状況で、そのプロペラの回転をどうするかの計算が、飛行制御の最終目的です。

ただし、それを自動化しようとすると、センサーの情報を解読する部分、統合する部分、画像処理の部分、飛行制御、ルートを決める部分、プロペラの回転を決める部分など何十万行というアルゴリズムの塊がいくつも必要になってきます。

膨大なソフトウェアでプロペラをコントロール

プログラムは大勢のソフトエンジニアが組み上げていますが、1つでも誤動作すれば、墜落につながる要素になるので、バグを避ける工夫やバグがあったときの対応など、誤動作を防ぐ仕掛けもやはりソフトウェアとして組み込まれています。緻密に積み上げられた設計は、壮大な建造物を組み上げていくことに似ているといえるかもしれません。

ＡＣＳＬが商用化しているドローンの飛行も、例えば４枚ないしは６枚のプロペラの回転数の制御だけで行われています。離陸するときは回転数を上げ、傾くとき、曲がるときには、左右いずれかの回転数を少し上げるといった形でバランスを変更します。

ジャイロセンサーで姿勢を把握、圧力センサーで高度、コンパスで方向、画像処理で空間の障害物など、非常に多くのセンサーから刻々と得る情報を搭載したコンピューターに集め、そこが司令塔になりますが、あらかじめ与えられた飛びたい方向・ルートになるように、最終的にはプロペラの回転数を変える仕組みになっています。

普及品のドローンのように、地上から目視で操縦するものではありません。搭載されたカメラで空間を認識し、自ら地図を作りながら飛行することもできるので、衛星からのＧＰＳ電波が届かない室内も飛ぶことができます。

風が吹くと大きく煽られますが、それもあらかじめ考慮しており、急に姿勢や位置を戻そうとすればさらに不安定になることも加味した上、ある程度は風に押されながらバランスを保ち徐々に復帰するように高度にプログラムされています。

障害物をよける仕組みも組み入れられつつあります。画像で空間を認知して、障害物を見ながら距離を保って飛んだり、よけることができるようになってきているのです。また、前方からドローンが飛んで来た場合に、これをよける機能も備え始めています。

飛行中に、バッテリーが急速に消耗したり、予期しない不具合（電波が切れるとかセンサーが異常を感知するなど）があると、出発地点に戻ったり、緊急着地点に急行したり、最悪の場合は備えているパラシュートを開いて降下するように設計されています。

この自動着陸のシステムは、わずかですが単純な飛行自動化のレベルを超えた段階に入っていると考えることもできます。

飛行中に何か突発的な問題が発生したときの緊急着陸機能に関して、この判断はドローンの頭脳に任せているところがあるからです。

もちろん判断をする基準、ルールはあらかじめ与えています。しかし、具体的にどの時点でどういう状況になったら緊急着陸するかの決断は、自分で行います。

この判断は非常に重要で、もしこれが曖昧だったり遅れたり、また着陸地点の選定が間違っていたら事故につながる可能性もあります。現時点では、確実な判断ができるように緻密に教え、かつ、実際の運用の中でも気づいた点があればどんどんフィードバックして改良していく段階にあります。

いずれにしても、これは緊急時であり当初の目的を放棄しても、今ここに降りるという判断をドローン自身がするという意味で、少し進んだ段階に入っているということができます。

自律制御部分と目的に沿って行動する高次の部分がある

ドローンが、突風に煽られても持ちこたえ、あるいは高度を維持し、現在位置を保つという機能は、人に当てはめれば中枢神経のような自律制御部分であり、無意識に指示を出して実現しています。人に置き換えれば呼吸や体温管理、嚥下機能のように中枢神経の指示で無意識に動き続けるものといえるでしょう。

一方、障害物をよけ衝突を避ける、非常事態に着陸とするというようなことは「衝突はいけない」「想定外のことは避ける」、というような意識決定ルールの介入であり、これは生命でいえば、言語や思考、感情、記憶などの機能を担う大脳からの高次の指示といえるでしょう。

つまり、自律行動となる高次の指示が入っても、自律制御部分は基本的な機能を自動で維持し続けます。ドローンは今、原始的な生物から、意図を持った自律ロボットへ変わりつつあるといえるかもしれません。

原始的な生命維持機構と、ある目的のために判断し行動する高次の機構という二本立ての構造は、今開発が進むあらゆるロボットに共通と推測されます。この後者のさらなる高度化が自律への歩みになっていくのですが、詳細は次章の自律の項で改めて検討しましょう。

機械学習が自動を新たな次元に押し上げる

21世紀に入り、コンピューターの演算能力が大きく高まり、さらに機械学習やその高度化の一つであるディープラーニングという新しい情報処理技術が確立されました。

それによって従来の自動化の域を超えるような高度な判断も行えるようになりました。自動は新たな次元で実現されるようになります。

機械学習は、すべてのルールを書き下したり、何が何であるかという定義を与えなくても、教師あり学習（答え合わせを行うための教師ラベルが付与された正解のデータが用意され、実際に導いたデータとの差異から答えの算出方法を調整し、回答の精度を上げていく）や、教師なし学習（教師ラベルを用いず、導いたデータの背後にある特徴を自ら抽出し、クラス分類などをしていく）によって、学びを高度化することができ、複雑な関係性を持つ状況と、何をするべきかというアクションが紐づけられるようになりました。あらかじめ詳細な工学的なルールを与えなくても、コンピューター自身で判断や選択ができるようになっているのです。

幼児はいつの間にか「概念」を獲得する

例えば大量の猫と犬の写真を投入し、どちらが猫かを教えていけば、やがて、猫の写真を特定できるという仕組みもできています。あるいは、危険な状況の写真を大量に見せ、どれが危険かと教えていけば、危険を判定することもできます。

幼い子供に本物を示し、あるいは図鑑を見せて「ねこ」、「いぬ」といっているうちに、「なんとなく」猫と犬の違いが分かってくるということがあります。厳密にどこが特徴か、何が違うかなどという難しいことは何も教えていないのに分かるようになる。これと同じことがディープラーニングの世界で実現しているのです。ディープラーニングは、機械学習の範疇にあるとはいえ、適用できる対象、データが各段に複雑になっていること、そして特徴量の抽出が行われ、その学習能力を格段に増していることが機械学習とは異なっています。

このディープラーニングや急速に進化しているアルゴリズム、そしてそれを可能にする計算機のパワーがなければ、機械学習の適用は極めて貧弱なものにとどまったでしょう。そのため機械学習の専門家のなかには、機械学習とディープラーニングを別の機能として分けて考える人もいますが、機械学習内部の詳しい理論の比較は専門家に任せ、本書ではあえて区別せず、データを学習させ答えを導く手法としてみておきます。

いずれにしても、当初、便利な計算機として誕生したコンピューターは、計算の速度や量、記憶量、さらに確率の算出や統計などで人間の脳を遥かに凌駕する存在になりました。

そして、その後のコンピューターを駆使した工学・物理学的な制御では、人間がプログラムという形でルールや基準を決め、アルゴリズムで工学的・物理的に制御します。これらは身の回りの隅々にまで浸透し、ちょっとした自動から大掛かりなものまで、ありとあらゆるものを賢く自動化していきました。

さらにこれらのうえに、出口は方向性としてだけ示唆され、また、細かなルールや基準がなくても、自ら学習してルールを導き、それに基づいて自動的に動作設計するという機械学習も導入されました。この機械学習するコンピューターによって、自動の世界はさらに高度な世界を切り拓いていきます。

ソフトウェアの世界で先行する高度な自動

機械学習を取り入れた高度な自動は、先ずソフトウェアの世界で進みました。

なぜなら、ソフトウェアの世界は、プログラムを組み上げるだけで完結するため、適用が容易なのです。現実の社会で、装置を作ったり、作り直したりするのは時間がかかります。しかし、ソフトウェアの世界にそうした制約はなく、一気に理想の世界を作ることができます。

最も有名なのが、囲碁のコンピューターシステムで、中国の世界最強クラスの名人を次々と破ったグーグルのAlphaGoや、日本で名人を撃破した将棋のコンピューターシステム「ポナンザ」でしょう。チェスを含め、これらの決められた盤上のゲームで、人間がコンピューターに勝てないということは、すでに誰もが認めるところとなっており、もはや対戦の興味も薄れています。実際AlphaGoもポナンザも引退し、人との勝負はしていません。

株の売買ソフトも普及しています。そのためデイトレーダーが得られる利益が減り、機械による高速取引が人間を圧倒し始めているというニュースも流れています。

植物工場もコンピューターが管理

屋内の人工環境で野菜などを育てる植物工場でも、自動化が進んでいます。温度や湿度、養液や土壌状態を各種のセンサーで収集。それらのリアルタイムの情報がコンピューターに送られます。そして映像などで得た生育状況と合わせて現状の分析と育成方針をコンピューターが自動で導き出し、栽培をコントロールする仕組みです。

もともと植物の生育には個体差があり、複雑であいまいです。これまでは各農家の経験や勘、過去のノウハウに頼っていた分野であり、人がとらえきれなかったものも少なくないのですが、コンピューターによる自動栽培なら見落としや思い込みもありません。栽培理論、天候などの周辺環境と生育の相関を示すデータ、さらに生育に関する確率や統計などの膨大な資料から、日々、最適な光や水、肥料の量、温度などが計算され、それが確保できる作業を自動で行っていきます。人は機械化されていないごく一部の動作を機械の指示通りにするだけでよく、自動システムのなかの一作業員であればよいということになっています。

また、モニター映像と機械学習を使った働く人の危険行動感知システムもすでに開発されています。

画像を通して、働く人や周辺の道具、クレーンなどの機械装置を判別し、それぞれが、どの場所にどのような構図で位置を占めているとき、ケガや事故があったかということを、機械学習で教えます。膨大な画像から、リスクありかなしかをラベリング（情報データが何を意味するのかを人が教えること）していく。そうすると、ある新しい画像を示したとき、コンピューターがリスクの有無を教えてくれるようになるのです。工場内だけでなく、さまざまな場所でこうした監視の仕事がコンピューターに取って代わられています。

閉じられた物理空間はコントロールしやすい

こうした植物工場や生産現場のリスク管理は、閉じられた物理空間でのことです。いずれも、人がいない、あるいはごく限定された人しか関わらない環境であるため、人の行動特有な不確定要素はほとんどありません。実際にものが動くリアルな世界ではあるものの、ソフトウェアだけで完結する世界に近く、ＩｏＴといわれるようにすべての機器をネット上につないでおけば制御は各種機械のオンオフで指示が行き渡り、自動化が容易に実現します。

ゲームのようなサイバー空間、リアルであっても生産工場のような閉じられた環境、人がほとんど介入せず機械だけが動作する予測可能な世界では、完全な自動化へとさらに進むことが考えられるのです。

人が作った生産装置や工場は、人が作ったという意味で仕組みが全部分かっているので、その中での動きを自動化することはたやすい。古い設備も使い続けられるので、置き換えには時間がかかるとはいえ、今後も完全に自動化された現場がどんどん現れるでしょう。

生身の人間が入り込んだ途端に難しくなる

これに対して飛行機、車、鉄道などは、不確定な要素の多い自然に開放された空間で動くものであり、特に地上を走る車は人が動き回るリアルな世界で自動の高度化を実現しなければなりません。こちらは簡単ではありません。

車の自動運転の分野でも、イベント会場や私有地、高速道路といった限定的な現場において、運転アシストなどという形で、少しずつ人の操作のウエイトを下げていくということが行われています。

車の運転は簡単なように見えますが、走っている環境は、歩行者から野生動物までが住んでいる世界です。自動運転を実現するのは、実は非常に難しい。例えば急な人の飛び出しにどう対応するかといった瞬時の判断が必要となるからです。実際、トヨタをはじめとする大手メーカーは軒並み自動運転の導入時期を先送りしています。完全自動化への歩みが意外に遅いと感じている人も多いのではないでしょうか。

無人のテストコースなら簡単でも、対人という要素を考えたとたん難しくなるのです。囲碁のようにゲームのルールが決まっていれば、相手が人間であっても扱いやすい。ところが実際の社会では、仮にルールがあっても、それを大体のところで守るというグレーゾーンがあったり、人がさまざまに解釈しながら生活しているような環境であり、人は時には合理性を欠いた予期できない行動を取ることがあります。それを相手にする自動機械を作ることは簡単ではないのです。

トヨタ自動車は2020年に入ってスマート都市を作ると宣言しました。既存の社会に自動運転を普及させるより、街をまるごと自動化した方が早いという見立てなのでしょう。リアルな世界で自動化を進めることはそれほど難しいということの逆証明なのかもしれません。

複雑そうに見えてもただ計算が速いだけ

高性能のコンピューターと賢いアルゴリズム、さらには機械学習を取り入れた制御は、従来の自動を、さらに高度なものにしました。しかし、ではこれが自律なのかといえば、それは違います。

例えば先ほどの囲碁や将棋のロボットは、確かに次々と手を繰り出します。最近では相手の手が見えないポーカーやマージャンのような複雑なゲームでもコンピューターがプロの腕前になってきているといわれています。あたかも本物の名人や凄腕ギャンブラーがいるように錯覚するかもしれません。

さらにいえば、最近は本物そっくりの俳句まで作ることができたり、離婚手続きの相談をしたときに、弁護士の代わりにやり取りしてくれる人工知能も出てきているようです。

しかしこれらは、そのときどきの盤面を見たときに、どこに打てば有利に展開するかということを超高速で計算したり、過去の膨大な俳句を学習して、なんとなく本物に見える文章を作成したり、複雑そうでも、実は定型的な決まりきった法律手続きについて教えてくれる人工知能ができたという程度に過ぎません。ルールも条件も目的もすべて人間によって決められているなかで、人間が到底追いつかない規模とスピードで、過去の事例を検証しているにすぎないのです。

実際「ポナンザ」の開発者である山本一成氏は、最終バージョンの同機がCPU1024コア、GPU128基を備え、1秒で10億手くらいまで読めるものであったと語ったと聞きます。

株式のトレーディングも同様です。価格の変動の予測は人間が作ったロジックや過去の経験によるものです。それを1分当たり数千回の速さで売買注文を生成することで利益を生み出そうとしているだけです。

まだ自律が実現しているとはいえない

これまで示した例に見るように、工場の限定的な空間や、明確に決められたルールの下で進む人工的な装置の自動化は、どのような条件の下でも入力とその出口（目的）を結びつけることができる自由度の高い関数のようになっているだけで、それは高度な最適化という名の自動化ではあっても自律ではありません。

危険予知システムも、画像とリスクの紐づけを、機械学習というツールを使って覚え込ませ、最適解の発見を自動化しているだけです。そこに意思決定はありません。「つながる家電」がどんなに生活を楽にしても、結局それは日常の暮らしを補助しアシストするだけの、決まりきった機能の自動化という範疇を出るものではないのです。

このように自動はあくまでも「言ったとおりになる世界」「人の想定の範囲内で起きる世界」です。つまり人が道具を支配して目的を実現しています。

しかし自律は違います。それは「人が言ったとおりにならない」という可能性を持った世界であり「人が道具に支配されるかもしれない世界」です。自動と自律は、まったく質の異なる世界であり、自動の単なる量的延長線上に自律があるのではありません。

では、これから私たちの社会内部に構築されようとしている自律とはどのような世界なのでしょうか。

［第２章］

自動が内包する自律への動き
ＡＩは人類を駆逐するのか

人間の指示を待たずに判断を始めたＡＩ

自動へのあくなき希求が自律への大きなパラダイムシフトを生み出そうとしています。

これまで述べてきたように自動は私たちが求め、目的として定めたものを、言うとおりに実行してくれる世界です。人が自信を持って解明し理解し、そして設計した世界。人のやることを想定通りにやってくれます。

その能力はコンピューターの性能向上や、さまざまなアルゴリズムの開発、機械学習と呼ばれるコンピューターに自ら学ばせる機能によってさらに高まっています。

そしてＡＩの登場が、人間が決めたこと、人間が要求したことだけでなく、その指示を待たずに、人間が求めるであろうことを機械が自ら判別したり導き出して目的として定め、判断を重ねながら実行するという自律の世界を大きく拓いていこうとしています。

「リコメンド」という自律システムの登場

自律システムや自動ロボットは、実はもう私たちのすぐ身近なところにあります。例えばインターネット上のリコメンド機能です。

「これはいかがですか？」と機械が無数の商品やサービスの中から、あなたの気に入りそうなものを、あなたにとって有益であろうと（勝手に）考えたものを推薦してきます。

あなたの購入履歴はもちろん、どんなページに何分滞在したか、関連して何を見たかというデジタルフットプリントのすべてを追跡し、さらにあなたの傾向に近い誰かの購買状況やネット上の動きに関する膨大なデータをＡＩが克明に分析して総合し、あるアルゴリズムで導いたリコメンドです。


確かに面白そうな物、興味を引く物が並んでいます。少なくともそのいくつかは、実際にクリックして内容を見るのではないでしょうか？　もちろんリコメンドはあくまでも提案であり助言です。最終的な判断はあなたがする。その意味で自律した頭脳（さまざまなリコメンド）が直ちにリアルな世界をつくっているわけではありません。

しかし、もしあなたがその通りに購買していったら、あるいはリコメンドがそのまま実際の買い物の決定になったら、あなたはいつの間にか機械が想定する人物像にどんどん近づいていくことになり、やがてはその人物そのものになってしまうでしょう。そして、自律頭脳が想定するとおりのリアル社会が生まれることになります。

何が背後の意図なのでしょうか。その時、そこにいるのは一体誰であり、そのリアル社会は誰がつくったものなのでしょうか。

最初は「これは便利だ」と感じたリコメンデーションも、だんだん不気味なものに見えてきます。容易に想像できますように、もちろん、商品をもっと売りたいという根本の目的があちら側に隠れているのです。

そもそも機械は「私が望むもの」「私が必要とするであろうもの」、さらには「私らしさ』を、どのようにして導き出したのか。どのようなアルゴリズムが機能して、私の価値観、私の世界観にまで入りこんできたのでしょうか。それは私のすべての行動の根源に関わる世界です。ＡＩはここまで入りこんできているのです。

いつの間にか「私」が消えていく

自動の世界は、あくまでも「私」が主役であり命令者でした。

しかし自律の世界は、私に対して私ではない誰かが、最初は「推薦」というかたちで、そして徐々に私の中に入り込んでこれを選択すべきと内なる声で命じるようになり、最後は私そのものを思いのままにつくりあげてしまう可能性があります。つまり「私」が消え、機械が主役として登場するかもしれないのです。

自動は便利だ。そして自律システムや自律ロボットはもっと便利だ。何も考えなくていいのだから、と思っていたら、それは危ういかもしれません。

リコメンド機能の話は、ほんの一例に過ぎません。それが人間への提案、人間の最終承認という手続きを飛び越えてハードの世界へと進出し、自律システム、自律ロボットが本格的に始動すれば、人間が命じなくても、人間が求めるのはこれでしょう、あなた方はこうすべきだと主張する主体が現れることになります。そして、自律ロボットは、あなたに気に入られるはず、と信じ、自分の判断で先回りして行動を起こすことになるのです。

もちろん、私はこれをすべてマイナスのことだと決めつけるつもりはありません。

必要なのは、知ること、理解することです。

私たちが知らない間に、あるいは便利だと浮かれている間に何が起きているのかを知ることが求められているのです。そのうえでこの自律システムをつくっていけば、それは人を助ける存在になり得ます。

新たに登場しようとしている主体の正体を突き止め、しっかりコントロールし、賢く共存していくという知恵を持つこと――それが自律世界を扱う時に、先ず私が主張したいことです。

自律は「便利」だけでは片付けられない

今まさに構築されつつあり、やがて完成するであろう自律システム、自律ロボット、自律社会は、過去何万年という歳月をかけて築いてきた人類社会を、まったく違う方向に導いていく可能性を持っています。私たちはまったく新しいパラダイムを生きようとしているのです。自律システムを構築するということは、社会を根本から変えることにつながるものであり、それに着手するという覚悟が必要です。

繰り返しますが、自律は便利快適だけではありません。警戒しなければ人類史を変えるほどの力を持って私たちに迫ってきます。逆にきちんとコントロールすれば、私たちが必要とするだけの物とサービスをすべての人間に対して供給し、領土や食料を巡って争う必要のない未来をつくることも可能でしょう。

自律的に生産し、人をアシストしてくれるインフラができれば、人類は初めて物質的な不足から解放され、持続的な繁栄と平和を享受することができる。物が十分にそろい、リーズナブルな価格で提供され、生活水準が上がれば、人類は新しいステージに進むことができます。

では、つくられようとしている自律システムや自律社会とはどういうものであり、私たちはそれとどう向き合っていくべきかを考えていくことにしましょう。

この辺りで一度立ち止まり、自律とは何かということを考えてみます。

答えが明確ではない目標設定ができる、それが自律

高度に自動化されたものは、あたかも自律しているかのように見えます。しかし前章でも触れましたが、答えが一つに決まるような目標設定に従って動いている場合は、それを自律と呼ぶことはできません。

機械学習は人の行動や思考を集積した膨大なデータからパターンを読み取り、それを新

たなルールにして、人が介入しなくても、判断し行動することができるという世界をつくります。

それはあたかも、人と独立に自由に判断し、自律的に行動しているように見えますが、これはまだ、自律ではありません。囲碁でも株取引でも工場管理でも、明らかな目標に対する最適解を出すということは、あくまで自動システムが実現する範疇です。

目的に沿って最適化した状態をつくり出し、オペレートする――それが自動です。

改めて自動と自律のおかれる状況を整理しておきます。

自動（オートメーション：Automation）　独自にDecisionすることはなく、想定可能な有限のパターンの範囲にとどまる。決まったこと、決まった動作の自動化、繰り返しの自動化、最適解探索の自動化など。判断、動作ステップは、その気になればすべて書き出すことができる。つまり、結局は、有限ステップで定義されたことを、人を介さずに行うようにした仕掛け。

自律（オートノミー：Autonomy）　獲得した価値に照らし合わせながら、独自に

Decisionする場面がある。孤立した環境下で、人が介在しなくても独立した判断を行う。どうなっているか、外部からはおよその想像はついても、多岐にわたる可能性を一つに絞ることができず、細かく人の想定どおりになっているかどうかは分からない。言い換えれば、人がソリューションスペースのすべてを系統的に理解し定義することが難しい。

状況が非常にあいまいで、どれが正解という答えが科学的な情報だけでは判断しきれない場合のDecisionもこれにあたる。どちらを選択してもネガティブなような場面、人によって賛否両論があるような場合、このようなときでも与えられた情報をもとに"なんらかの価値を手掛かりとする判断ロジック"が働き、適切なActionを自ら決めていく。

動作の高度な自動化も「自律」と呼ばれるが

もう少し動作に即して、自動と自律の区別について整理しておきます。

（1）個別動作の制御

ロボットや機械などの個別動作の制御は、前章の自動化の項目で見たように大きく進んでおり、今後も進んでいくでしょう。例えば、ドローンの飛行制御とか、車のハンドルやアクセル、ブレーキ操作、ロボットアームで物をつかむピッキング、四足歩行・二足歩行ロボットの動きなどです。

これらは決して簡単なことではなく、いろいろな理論、数学、さらに人工知能も適用されて実現します。

ただし、これは動作の目標とその最適解がはっきりしている動作です。最終的に行うべきこと――例えばものをつかむということ――は明確です。

また数十年にわたって進化してき制御工学という分野において、ある程度の領域、シチュエーションを定義すれば、機械的な動きを包括的に制御することが可能になっています。選択する制御レベルによっては、非線形制御、モデルベース制御などといった制御理論に基づいてシステムが実装され、高度な自動化された動きが実現されます。

数学や物理的な考え方に即し、現在のコンピューターパワーと合体することで、人に匹敵するような柔軟な動作を持つことが可能になっています。

例えばつかむという動作ひとつとっても、生卵やプリンのようなやわらかい物を壊さないようにやさしくつかみ、しかも落とさないように確実に保持することは微妙な力加減が必要で、本来、非常に高度な技術です。人間はそれを、いとも簡単に、脳における高度で複雑な処理と、物理的な力の絶妙なコントロールで実現しています。たとえ初めて出会ったものであっても、過去の経験、類推などさまざまなデータを駆使し、指先を微妙にコントロールしながらほぼ失敗なくつかむことができます。それが今やロボットでもできるようになっています。

詳細は専門書にゆずりますが、機械学習の導入も含め、工学分野では機械操作は高度に自律制御される時代にきているといえます。

ただし、あくまでも工学分野における自律的な「制御」です。自動と対比して私がこの章で取り上げようとしている自律とは異なる概念だということは先に書いたとおりです。

(2) システムの動作計画

ミッションの中の動作計画、つまり、個々の動作ではなく、どのように目的を実現するかということに関するプランニングも高度に自動化されつつあります。

例えば、ある地点からある地点に行く、といった大きなミッションを与えると、経路を自ら決めることができるようになっています。迷路のような複雑な構造であっても、どうすれば最適なルートで進めるか、どうすれば最短距離で動けるかを、自分で解明します。機械学習やディープラーニングによって、膨大なサンプルからパターンを学び、教師データからのフィードバックを重ね、さらに実装された後も、取得されるデータを使って学習を続けることで、行動計画の立案をほぼ完全に自動化しています。

ドローンによる配送も「何をどこに届けなさい」「どこからどこに行きなさい」と指示すれば、途中をどのようにすればいいかというプランニングは今後自動化されていくでしょう。

飛行途中でドローンが何らかの障害物に出くわすといったことは、事前に想定されていませんが、その場合でも対象物を感知してよける動作に入り、目的地への飛行を達成しようとします。

動作計画を状況に合わせて自分で修正し、立て直して進むのです。人間が指示するわけではありません。

このルートの自動化の部分は、例えば自動配車システムのウーバーの運転指示や乗合バスの乗降の最適化など、多くのスタートアップの主戦場になっています。計画を自動化することは、最適化による大幅なコスト削減を可能にするからです。

また、手術用ロボットに「この腫瘍を取れ」と指示すれば、途中のさまざまなアクシデントにも臨機応変に対応しながら目的を果たすようになるかもしれません。ある作業の仕上がり、目的、終着点を定義すれば、その経路は、機械の脳が考えて、最適化するということです。

このように、やるべきことがはっきりしたミッションは、一見相当に複雑でも、人ができることなら機械でやれるようになっていくでしょう。

人がミッションを与えて、想定の範囲で決まったことをするあらゆるサービスロボットは、すべて高度に自動化され、細かいことは指示しなくていいという時代が間違いなく訪れます。

さて、以上の「動作計画」も、高度な工学的制御と同じように、自律化した動きのように見えます。しかしこれもその想定範囲における答えは凡そ絞られている場合であり、あくまでも自動化の範疇に含まれるものです。言い換えれば、目的の下に設定されたソリューションスペースの中で最適解がもとめられる状況なのです。

動作を絞りこめるようなミッションが与えられるということは、ソリューションスペースが与えられるということであり、それはテストで問題が与えられるようなものといえます。問題が出れば解答を出すことができるのです。

(3) ミッション(何をするか)の設定

与えられた個別の動作ミッションの実行だけでなく、それぞれの場面で、何をなすべきかというミッションの設計自体を自ら行うこと、これが自律の描像です。

これが最も大きな概念で捉えたときの真の意味の自律です。人から独立して世界を構築することができます。

これは自動の延長ではできません。自動の場合、目的は100%人が決めているからです。

現在は、最適化が可能な自由度の低いミッションさえ人間が決めれば、機械やロボットの動作、計画などが自動化できるという段階です。自由度の高いシステム全体として自律化しているものはまだ存在しません。

目的設定を伴う自律はなぜ困難なのか

システム全体としての自律について、人工知能の学者は、「汎用ＡＩ」（究極のＡＩで人の頭脳と同じレベルのもの）の範疇だと語り、また、人によっては、このレベルは人類特有のもので機械では決して実現できない領域だといったり、やがて量子コンピューティングがそれに応えるだろうという見解を示す人もいて、まだまだ明確な答えが見えません、まさに人工知能研究の最先端です。

自律がなぜそれほど難しいのか、例を挙げて具体的に考えていきます。

小学校低学年の子どもに、学校まで一人で歩いていけるように道を教えるとします。

学校に行くという目的のもとに、例えば「あの郵便局の角を右に曲がってまっすぐ進み、

2つめの信号を左に曲がるんだよ」と教えれば、子どもは通うことができます。

その後毎日通う中で、友だちに先導されて別のルートがあることを知ったり、忘れ物をしたときに途中から家に引き返して学校に遅刻をしてしまったり、いろいろな経験を重ねる中で、ある道が工事中だったら別の道へ迂回するとか、急ぐときはこちらの道がわずかに早いとか、学校の近くまで行ってから忘れ物に気づいたら、家に引き返さずに学校に行かなければ遅刻をしてしまうとか、経験を基にしながら、親に教わらなくても学校に行くという目的実現のための行動計画を変更することができるようになります。

先の整理でいえば（2）のレベルです。確かに、想定外の状況に直面しても立ち止まってしまうのではなく、また、親に指示を仰ぐのでもなく、独自に行動していますが、しかしこれは自律ではありません。

目的そのものを変更するという大きな飛躍

自宅を出て学校に行く、という出発地と目的に何らの変更はなく、その間を状況の変化に合わせて別の形で結んでいるだけだからです。目的遂行の過程を変更したに過ぎません。

単に場面場面で最適な答えを経験から見つけているだけです。

そうではなく、仮に転んでケガをしてしまったとか、大地震が起きて被害が発生しているという状況に遭遇して「学校に行く」という目的そのものの再検討や変更が必要になったときに、それができるかどうか。

近くの友だちの家や、よく知っているお店に入って自宅に連絡してもらうとか、空き地に避難するとか、ミッションを自らの判断で変更し新たに設定して、それに基づいて行動することができる――それが自律です。

さらに高学年になれば、今日は家に帰りたくないとか、怒られてもいいから寄り道して友達との話を優先しようとか、自己判断も出てくるでしょう。この場合も学校に行き、家に帰るという目的そのものに変更を加えることになります。

この行動決定の根源には、いったい何があるのでしょうか。

自動運転に立ちはだかる「トロッコ問題」

自律、つまり主体的な判断がいかに難しいことであるかは、現在の自動運転車開発の状況を見ても明らかです。

今、開発の大きな難問の一つになっているのは、いわゆる「トロッコ問題」として有名な課題設定、あるいは目的設定に関わる問題です。人が急に目の前に飛び出してきた、といった緊急事態に、いかに対処するのか、何を目的に据え、そのためにいかに動作するのか、という問題です。ここが未解決なのです。

ご承知のように、現在、次代の「スマートモビリティ」の中核を担うものとして自動運転車の開発が世界で進んでいます。

日本でも、主要な自動車メーカーはすでに運転支援システムを実用化し、さらに高度な自動運転システムの開発に着手しています。また、実際の走行についても、一部のバスで公道での実証実験を始めており、茨城県境町では町内の移動手段として定時・定路線で運行する自律走行バスを実用化すると発表しました。緊急事態などに運転を引き継ぐ運転手とそれを補佐する保安要員が必ず乗車するという形を取っています。

このバスは「自律走行バス」と呼ばれていますが、しかし、人が急に飛び出してきたらどうするかというミッションの決定、つまり「トロッコ問題」の解決はできていません。

そのような緊急時のための要員としていつでも運転を引き継ぐことができるドライバーが乗車しています。

また、2020年2月には、アメリカの道路交通安全局が、自動運転ベンチャー「ニューロ」が開発した車両に、公道で走行できる一時的な許可を出したことが報じられました。

座席もハンドルもミラーもなく、その代わりにセンサーと360度を見渡すカメラが搭載されている宅配専用の小型車両です。これまでも自動運転車両の公道での実験走行は認められていましたが、実験走行とはいえ、ハンドルもミラーもない車両が許可を得て公道を走るのは初めてのケースです。

今後実験を重ね、実用化を目指すとされていますが、これも公道ならではの緊急事態にどう対応するのかは未解決です。ドライバー不足の輸送現場などから活用の期待は高く、今後どのような検討・改善を経て実用化されるのか、大いに注目されています。

特に2020年の3月以降、「新型コロナウイルス」の感染拡大防止が世界的な課題になる中、荷物搬送ロボットが脚光を浴びています。これなら人と人との接触をゼロに保ちながら、物の輸送ができるからです。新型コロナウイルスへの警戒が当分の間緩められないという状況の下で確実に実用化されていくでしょう。

あなたはトロッコをどこに導くか？

本題に戻ります。

トロッコ問題と呼ばれているのは、イギリスの哲学者フィリッパ・フットが１９６０年代に提唱した倫理的な問いかけです。

概要は次のようなものです。

制御不能になって暴走するトロッコがある。このまま走り続けると、前方で作業している5人の人を轢いてしまう。その手前にポイントがあり、切り替えれば進路を変えることができるが、そちらにも1人の作業員がいる。あなたがポイントの切り替えをする立場であったらどうするか？　というものです。

また、その後さまざまなバリエーションが加えられ、5人は知らない人だが1人の方はあなたの友人であるとか、一方は高齢者で一方は若いとか、あなたの隣に非常に太った男がいて、その男を線路に倒せばトロッコを止めることができるが……といった具合です。いずれにしても、トロッコを目的地に向けて走らせる、という通常のミッションではありません。それとはまったく違うミッションを瞬時に決定し、実行しなければならないのです。

倫理や道徳も判断を導く要素になる

自動運転車についても、同じ問いが成立します。

例えば、突然子どもが目の前に飛び出してきた。避けるためにハンドルを切りたいが、そちらには歩行者がいる。急停止すれば後続の車が激しく追突してくる。どうすればいいか——切迫した事態のもとで、直ちに判断して最適と思われる行動を取ることができなければ、公道で一般の車や歩行者のいる中を走る完全自動運転は成立しません。

求められる判断に必要なのは、決められた目的地まで安全に走るという当初の目的に関することではなく、そのための技術的な可能性の選択でもないのです。目的そのものを変えなければならない、つまり自動ではなく自律判断をしなければならないという事態です。

死者の数が少ないことを優先するのか、運転者の無事を優先するのか、歩行者の年齢の差が大きかったら、より若い人を救うのか、自動運転車に向けられる責任と賠償費用の少ないことを優先するのか……。

気づかれたと思いますが、こうした判断には倫理や道徳が絡みます。それ抜きに選択はできません。瞬間的には、運転者の感情や意識、覚悟などの要素も混じるでしょう。

つまり、一般的な正解はありません。一人ひとりが行う個別的な価値判断になるのです。そこに踏み込まなければ、当初の目的を変更し、事故を最小限のものにするためにどうハンドルを切るかという「新たなミッション」の設定・選択はできません。そして真の自律を機械に求めようとするなら、そのような価値判断も求めることになるのです。

自動運転車が現在は限定的なエリア（すなわち、あらかじめ「トロッコ問題」を排除した環境）や高速道路で実現され、取り組まれているのもそのためです。問題を複雑化させる歩行者などの要素がないからです。

実際、自動運転車開発への各メーカーの取り組みの大きな壁になっているのが、この「判断系」です。センサーなどの「認知系」や実際に車のスピードを変え、ハンドルを切る「制御系」は、センサーそのものの性能向上や配置の工夫、さらに車載の組み込みソフトの処理能力の向上などによって大きく進化させることが可能ですが、自動運転の最上位の「頭脳」となる「判断系」の作り込みは非常に難しく、開発プロジェクトの多くがここで停滞を余儀なくされています。

スマートシティを真空地帯につくる理由

トヨタ自動車が街ごとスマートシティにするという構想を打ち出していると先にご紹介しましたが、それも現実的なレガシーの世界に、モザイク状に自動装置を持ち込むことが難しいからかもしれません。そうではなく、街全体を一から設計すれば、自動運転車とどんな動きをするか予測できない人間を共存させることが容易になります。

工場のような世界も同じです。古い装置と新しい自動は相容れません。すべてを一気に自動化する方がいいのかもしれないと考え始めている人がいるように感じます。

中国が強力な中央主導でデジタル通貨や顔認証システムを導入して成功しているのも同じ事情でしょう。共通して背景にあるのは、リアルな世界で動く人と自動技術の相性がよくないということ、そこをつなぎ合わせるのは非常に難しいという現実です。

自律を装うロボットが魅力的に見えないのはなぜか

少し横道にそれますが、現在の自律を装ったロボットがあまり魅力的に見えないのも、判断やミッションの決定がないからではないでしょうか。

例えばソニーは、犬型アイボを進化させる試みを続けています。犬を模した動き、犬らしい個性をつくろうとしている。

しかし、犬を飼っている喜びは生物を預かっていることであり、手のかかる世話があることだと思います。そして、相手に完全には「支配しきれない自分とは違う自律した意識」があるからこそ、一緒にいる喜びを感じるようにも思います。

つまり予測不能です。いうことを聞かないという要素。それこそが、自分とは完全に独立した生物、相手がいるという意味であり、魅力です。

表面的な仕草だけを真似するのではなく、犬としての個性を学習させ、犬から見ても完全に犬と思われるようなロボットでなければ魅力は生まれないでしょう。

人型ロボットの開発も進んでいます。トヨタは二足歩行する人と同じタイプのロボットを作っていますが、ただ人が身体的にできることを真似する実験をしているようにしか見えません。

このロボットの目的は何なのか。人と同じ歩行や動作ができても、それが何の役に立つか分からないし、仮に人と同じように楽器が弾けても、指示どおりに動いても、それがどういう価値を持つのかが分かりません。

現在のところ、人の身体機能を完全に再現するという、制御工学の研究開発の範疇のように感じます。ロボットに作業をさせるだけであれば、これで十分でしょう。今後の展開にはさまざまな可能性があると思いますが、自律や自律型ロボットへの本質的な省察を欠いたところで、人に似たロボットを作っても、そのインパクトは弱いのではないでしょうか。ロボットが横にいるのは何のためであり、どう共存していくのか、自律ロボットに取り組むなら、そうした根本的な問いが必要だと思います。

AIなら全部できる？

さて、ここまでは、自ら判断し、自らミッションを設定できるものこそ自律だということを述べてきました。では、そのような自律ロボットを作ることはできるのでしょうか？

リコメンド機能など、サイバー世界ではすでに自動ではなく自律と呼べるサービスが始まっていることは、先に触れたとおりです。それはリアルな世界にも広がり、構築されようとしていますが、果たしてそれは可能なのでしょうか。可能であるとすれば、どのようにして実現するのでしょうか？

この問いに、その担い手だと名乗りを上げるのがAI（人工知能）です。AIこそ自律の鍵を握る存在であり、今はできなくてもAIの進化の先に自律がある、AI搭載ロボットなら自律して動くものになると考える人は少なくありません。

それについて検討してみましょう。

ＡＩがＡＩ自身でさらに進化するシンギュラリティ

先ず、ＡＩについて基本的なことがらを整理しておきます。

一般にＡＩは「人工的につくられた人間のような知能」とか「人間の脳が行っている知的活動を行うコンピューターシステム」、「自律的に認識・学習・判断・推論を行うことができるもの」といった定義が与えられています。そしてこの帰結として「ＡＩが自ら学習してルールを作り、状況に応じて判断するという自律が生まれようとしている」というのが通説となっています（さらに厳密な定義や専門的な議論を知りたい方は、ぜひ専門書に当たってください）。

なかでも、人工知能の世界的な研究者の一人であるレイ・カーツワイルは、ＡＩの可能性を高く評価し、やがてシンギュラリティ（技術的特異点）が到来すると語っています。氏によれば「２０４５年にはＡＩなどの技術が、地球上の全人類の知性を超え、それ以降はＡＩがＡＩ自身でより賢いＡＩを作っていくことになり、人間には予測不能の未来が到来するだろう」というのです。

ＡＩはあたかも万能で最強のツールとして語られているのですが、本当にそうした存在なのでしょうか。

ＡＩの新段階を拓いたコンピューターの性能向上とネットワーク

ＡＩとは言うまでもなく、アーティフィシアル・インテリジェンス（Artificial Intelligence：人工知能）の略です。

この言葉が最初に登場したのは１９５６年のことでした。ジョン・マッカーシーがThe Dartmouth Summer Research Project on Artificial Intelligence（人工知能に関するダートマスの夏期研究会）の開催を呼びかけ、ここで初めて"Artificial Intelligence"という言葉を使いました。当時黎明期にあったコンピューターの技術で、人間の頭脳に匹敵するような思考する機械が作れるのではないかと考えたのです。しかし、コンピューターにできる数値計算と、人の頭脳活動による概念的な把握の間のあまりにも大きな差異の前に研究会の歩みは止まりました。

その後、１９８０年代には、専門分野に限定した世界で、人が与えた知識から推論を重ねて答えを導く人工知能の開発が試みられました。「エキスパートシステム」と呼ばれるものです。しかしこれもうまくいきませんでした。個別分野の膨大なデータやルールをすべて人間が入力しなければならなかったからです。ハードウェアの計算能力もまだまだ低いものでした。

同じ頃日本では「第五世代コンピューター」と名付けられた人工知能型のコンピューターの開発を目指した国家プロジェクトが始動します。

従来の演算処理ではなく、非ノイマン型の並列推論型コンピューターのプロトタイプシステムの試作を目的としたものです。約10年に亘って取り組みが続きました。ある点では次につながる成果もあったと思いますが、一般的には成果を挙げることはできなかったといわれています。

これ以降、人工知能研究は〝冬の時代〟と呼ばれ、人工知能という言葉自体が、何か古くさいもののように響く状況でした。しかし、この間に進んだパソコンの普及やCPU(中央演算処理装置)の飛躍的な性能向上と低価格化、そしてコンピューターを世界レベルでつなぐインターネットの登場によって、AI研究はまったく新しい段階に入ります。

人工知能研究を前進させた確率と統計

最も大きな変化は、確率に焦点を当てたアプローチの登場です。

つまり、膨大な事象から正解を導こうとこうとするとき、それまでのように人の与えた知識の中で論理的に考えるのではなく、確率論的なアプローチをしようというものです。

なぜなら論理だけですべての事象を説明することは、そもそも不可能だからです。特に、分子や電子の世界では、ランダムで不確定な要素が必ず入り込んでしまいます。そこで、確率を見るということが行われるようになりました。

どのような条件が揃ったときにどういう結果が出るか、確率をコンピューターで計算します。そして、どんな組み合わせの時に正解が得られたか、結果から逆引きし、グループ分け（パターン分け）を繰り返して徐々に絞り込みながら正解に最も近いものを選ぼうという追求です。

コンピューターの性能が上がり、大量・高速の計算ができるようになったことも、確率というアプローチを可能にした条件でした。

さらにここに、統計という考え方が加わりました。

確率というのは理論的な予測です。これだけの可能性があるときに、それが表れる確率はどれほどかという計算で導かれます。しかし、特に人の意志が深く関係するような選択は、単純な確率計算では導けません。そこで持ち込まれたのが統計です。結果としてすでに得られている過去のデータを分析することで、そこに潜む規則性を見つけ、それを予測に活かすという手法です。いうまでもなく、参照する事例が多ければ多いほど精度が上がります。統計という手法、特にベイズ統計の応用といったものがコンピューターのデータ処理能力の飛躍的な向上が可能にしたものでした。

この確率と統計から逆引きでルールを見つける手法が「機械学習」と呼ばれるものです。「教師あり学習」や「教師なし学習」などがその要素であることは先に触れました。

さらに機械学習には、最近とくに注目度が高まっている「強化学習」と呼ばれるものがあります。

他の機械学習がＡＩに行動を教えようとするとき、データとそれに対する正解を用意し、それを照合することによってルールを学ばせ、次からそれを適用させていくものであるのに対して、これはあらかじめ答えを示すのではなく、価値を最大化するための行動を、試行錯誤しながら自ら探し出すことを求めるものです。

目的との関係で、どうすれば最大の報酬が得られるか（つまり最適解であるか）をＡＩ自身に探求させるという点が、目的実現に向かって進む人間の行動に近いことから、ロボットの自律化に向けて非常に大きな意味を持つと考えられている学習方法です。この強化学習については、次の第３章で詳しく触れることにします。

かつて１９９７年に、ＩＢＭのスーパーコンピューター「ディープブルー」が、当時のチェス世界チャンピオン、ゲイリー・カスパロフと対戦し、チャンピンを打ち負かしたとき、それはかつて考えられなかったコンピューターの膨大な記憶容量と圧倒的な計算速度によるものでした。

ＩＢＭのコンピューター「ワトソン」が、『ジェパディ！』というクイズ番組で人間の世界チャンピオンを下したのも、同じように記憶量と計算速度の賜物でした。

しかし、その後に現れた機械学習は、そうした量と速度の向上の延長にあるものではありませんでした。大量のデータを基に、確率と統計を武器に自らルールを発見し、賢くなっていくというものだったからです。

そしてこの機械学習をより深化させたディープラーニング（深層学習）という手法が"冬の時代"を過ごしていたＡＩに再びスポットライトを当てることになりました。ディープラーニングは、人間の脳の神経ネットワークの仕組みを模したものだったからです。人間の脳の手法で学習すればいいということが明らかになりました。人間の脳の動き方をトレースした文字通りの「人工の知能」の開発が始まったのです。

脳科学の発展が脳を真似ることを発見する

人間の脳は、ニューロンと呼ばれる神経細胞でできあがっています。この数は脳全体で千数百億個に及びます。ニューロンには、樹状突起と軸索と呼ばれるものが伸びており、樹状突起が、ほかのニューロンから電気信号という形で情報を受け取り、軸索が出力装置の役割を果たして、樹状突起が受け取った電気信号を次のニューロンに伝達します。これが何層にもわたって行われます。伝え方には重要度に応じた強弱があり、この「重み付け」によって対象認識が段階を追って鮮明になっていく仕組みだと考えられています。

ディープラーニングも同様に、入力されたデータに含まれる特徴を各層で絞り込みながら（重み付けをしながら）受け渡していき、最終的に精度の高い情報をつかみ出します。

機械学習では、データのどこに注目すべきかは、ある程度は人間が設計していました。特徴を定義し、そのもとで学習精度を上げていましたが、さらに、ディープラーニングでは学習データから自動的に特徴量を抽出し精度を上げていくことができるようになりました。注目点を自分で探し当てるのです。そのため、人間には見えていないものも見つけることができます。

先にご紹介したシンギュラリティという言葉が登場したのも、ディープラーニングの登場という大きな進化に合わせてのことです。ＡＩ自らが学びを深めていくことの可能性と現実性が明らかになったからです。

現在ＡＩと呼ばれているのは、ほとんどこの機械学習（ディープラーニング）の手法を用いたＡＩと考えることができます。ただし、ＡＩ＝機械学習と言いきることはできません。機械学習という手法を用いないＡＩも存在するし、ＡＩにはさまざまな定義があって、厳密には定められていないと思われるからです。

では、人間の脳の活動を真似たディープラーニングをするＡＩは、人間と同等の知能であるといっていいのでしょうか。

「強いＡＩ」と「弱いＡＩ」

その視点から「強いＡＩ」（Strong AI）と「弱いＡＩ」（Narrow AI）という分類をしたのは、アメリカの哲学者ジョン・サールです。「ＡＩが人間と同等の意識や知性を持つかどうか」という観点から分類しています。

サールは、人間の知能の一部に特化した機能を実現するのが「弱いＡＩ」であり、人間と同様の知能や意識を持つものが「強いＡＩ」で、「強いＡＩ」は実現不可能だと言っています（もっとも、人の知能については多くの議論があります。実は人間の知能という定義すらあいまいで、人の知能とは何かということについての統一した理解も、まだ十分にはありません。哲学者や人文学者、脳科学者などによっても異なるように感じますが、ここではその内容には立ち入らないでおきます)。

別の研究者によって「強いＡＩ」と「弱いＡＩ」に代えて「特化型」「汎用型」という区別も行われていますが、ほぼ同じ区別です。人間同様の知能を持ち得るかどうかという視点から、その一部の機能に限定されたものを「特化型」、すべての機能を網羅するものを「汎用型」と名付けています。

サールの区別に従えば、今、ＡＩといわれているものは、すべて「弱いＡＩ」です。機械学習(ディープラーニング)によって複雑な情報からパターンを見出すことがその機能です。

「弱い」という言葉には頼りないイメージがつきまとうかもしれませんが、その計算量において、また、パターン認識のパワーにおいて「弱いＡＩ」といえども、非常に強力です。

ＡＩが人の五感と同じように世界を理解する?

すでにチェスや将棋や碁で人間の頭脳を超越していることは先にご紹介したとおりです。

また、機械の動作の細かい制御をしたり、機械の動作から得られる複雑で膨大なデータから故障を予知したり、さらには文章理解、映像解析、音声理解、自動翻訳などのさまざまな分野で活用されるようになっています。

つまり個別のミッションには答えを出すことができるようになってきているのです。さらに日本のＡＩ研究者の一人である東京大学大学院の松尾豊教授は、徐々に個別のＡＩ要素が融合し、すなわち感覚情報のマルチモーダルが進んで、いずれは人のようになるという予測をもたれているようです。

つまり、音声認識ＡＩと画像認識ＡＩなどがいずれはつながり、人のように五感を通じて外界を理解するようになるのではないかというのです。確かにその可能性はあるかもしれません。

実際、ＡＩ研究を積極的に進めているグーグルが――実はグーグルがプラットフォームとなることで世界中から日々収集しているデータは、例えば誰かがスマートスピーカーに向かって発した何気ない一言も、ＡＩ開発のサンプルデータとして利用されているだろうといわれています。グーグルの究極の目標は、世界の知をすべて集約したＡＩを作ることだとみられているのです――かつて発表した論文で、こうした展望を述べていると報道されています。

現在の身近なＡＩは基本的には一つのモデルに1種類のタスクしか担わせることができません。例えば、画像認識をするＡＩは音声認識をすることができない。そのため大量の植物を学んでも、魚類の識別はできない。そこで、一つのモデルにできるだけ多くのさまざまなタスクを学習させる。すると学習していない未知のタスクであっても、学習済みのタスクから類推して対処の仕方を判断するようになる。こうして万能のＡＩを作ることができる、というのです。実際、一つのモデルに8種類のタスクを段階的に学習させたところ、学習したタスクの数が多くなるほど一部のタスクの精度が上がり、また、他のタスクの精度への悪影響はなかったと報告しているそうです。

いずれにしても、ＡＩの進化がこのまま進めば、あらゆる点で人間の脳の処理能力を凌駕するようになるという見方があり、今後10年程度で人間の脳のニューロンの数で行える理論的な計算規模を超えるのではないかともいわれています。

原始的な脳を再現できるか

他方、「強いＡＩ」あるいは「汎用型ＡＩ」は、ＡＧＩ（Artificial General Intelligence）とも呼ばれ、感情や意識、情動、倫理など人間の思考の深層も含めて脳と同等で、人間と同じような頭脳活動をするというものです。

人間の脳の構造に当てはめれば、「弱いＡＩ」は大脳の中の大脳新皮質の部分、つまり生物でいえば人において最も最近発達した部分の活動に相当するものです。これに対し、脳には数億年前の誕生時から維持されている脳幹と呼ばれる古い部分があります。感情や欲求のような、人間の判断につながる衝動は、この部分に先天的に刻み込まれた回路パターンがつかさどっているということについてはほぼ定説になっています。「強いＡＩ」「汎用型ＡＩ」は、この脳幹を含む人の脳の古い層と同じことをするものとして想定されているわけです。

しかし、こうした脳幹などの部分については、ほとんどすべてがいまだに解明されておらず、ようやく遺伝子工学を使った解明・研究が動き出したという段階です。化学物質の動きやニューラルネットワーク一つひとつの接続経路など、解明はその緒についたかどうか、という段階でしかありません。短期記憶、長期記憶、睡眠などのメカニズムも奥が深く、関心のある方はぜひ専門書を読んでいただきたいと思いますが、経験的にも明らかなように、人の判断には、論理的な理性だけでなく脳幹などの古い部分に起因する本能的振る舞いも関与しています。

「弱いＡＩ」の機械学習は、人間の脳に置き換えれば、大脳新皮質で行われる表層の情報処理ですが、感情などの部分は脳の古い部分も併せて行われているものです。ＡＧＩが、人の脳を参照して万能なものになることを目指すとするなら、まずこうした脳の構造の理解から始めなければならないでしょう。

脳幹に積み重ねられている5億年の発達史

もう少し、人間の脳のことを考えてみます。

先に触れたように、そもそも脳幹は、生物が生き延びるために進化してきた最も原始的な部分です。

今から5億年以上前、「進化の大爆発」があったことで知られるカンブリア紀の地球では、海の中で多様な生物が誕生します。その中には神経を体全体に走らせた散在神経系の生き物と一箇所に集めた集中神経系の生き物があり、後者の集中神経系が原始的な脳と呼ばれる器官です。この器官が徐々に進化して、今日の人間の脳になったと考えられています。

カンブリア紀に続くこの時期以降、魚類を先頭に順次登場した両生類、爬虫類そして哺乳類などの脊椎動物の脳は、いずれも「大脳」「小脳」「脳幹」から構成されるもので、その基本は現在の人間も変わりません。

中でも脳幹は、間脳や中脳、延髄などから成っており、生命を維持する神経が集中する場所です。間脳にある視床下部は、自律神経やホルモンのはたらきをつかさどり、呼吸や心臓の活動、体温調節などを担っています。脳幹の機能が損なわれるということは、直ちに生命維持の危機につながります。

脳幹は、生きて遺伝子をつなぐという生存を第一とした生物固有のものであり、論理的なものではありません。その上に新しい理性的な思考をする脳がオーバーライト（上書き）されているのです。

原始的な脳は、生き抜くためには何でもするという、ある意味では野蛮な一面を持つものです。実際、仲間を見捨てて生き延びてきたこともあったはずです。残酷で自分勝手な意思決定を何度もしてきたでしょう。

世界的なベストセラー『サピエンス全史』の著者で歴史学者のユヴァル・ノア・ハラリは、ネアンデルタール人をはじめとする多くのサピエンスの中で唯一生き延びてきたホモ・サピエンスが持っている残忍性について触れています。

例えば人類が最初に発明した道具である石器について、この石器の重要な用途の一つは、骨を割って骨髄をすすれるようにすることだったというのです。それはなにも骨髄が好物だったからではありません。

この頃の人類は、食物連鎖の中位を占めるに過ぎませんでした。まずライオンが獲物を倒して食べ、残りにハイエナやジャッカルがありつき、それが済んでから人類は周囲を警戒しながら死骸にありつき、残されていた骨を砕いて骨髄をすすっていただろうというのです。

のちに人類は、火を熾し、使うことを覚え、また、ホモ・サピエンスという人類の中でも特に言語能力に長けた種族（私たちの直接の祖先です）が食物連鎖の頂点に登り詰めます。しかし、そのスピードがライオンを頂点にした生態系のピラミッドの形成に比べて極めて早かったことから、型の整った三角形の食物連鎖は形成されず、また、ホモ・サピエンスも中位者であったときの臆病心や飢えの記憶を消し去ることができずに「残忍で危険な存在となった」（ハラリ）と記しています。

ただ生き残り、遺伝子をつなぐことがすべてであった人類としての私たちは、生き残るための行動、よりよい判断を追い求めることを決してやめることができません。そしてこの残忍さは今も私たちの体のどこかに受け継がれています。

多くのホモ属内部における生存競争があったはずであり、私たちはそれを勝ち抜いたホモ・サピエンスの子孫です。

悪だったから生き延びたというわけではありませんが、弱肉強食の世界に情けはありません。ただ生きるという判断をしたものだけが生き残ってきたのです。

その残忍な面も持つ脳を新しい理性的な脳が押さえ込んでいる。今も私たちが急に怒ったり、嫉妬したり、時には人の不幸を面白がったりするのは、この原始的な部分がふと顔を覗かせるからでしょう。

こうした複雑な深層部分のコンピューターへの置き換えが簡単にできるとは思えません。

AIはミッションを決めることができるか

しかし、たとえ感情や意識に立ち入ることができなくても、「弱いAI」で自律システムはできると考える人がいます。

つまり、現在のAIに人間の過去の全歴史を読ませれば、そこからパターンを認識し、ルールをつかみ取って価値判断ができるようになる。それによってミッションを選択し決定する自律に至る、というのです。

この考えを検討してみます。

確かに厳密な意味でAGIの実現が困難だとすれば、現在のAI(「弱いAI」あるいは「特化型ＡＩ」）の活用を考えることになります。必ずしも進化にもとづいた生命特有の脳幹の働きを再現しなくてもよく、現在のＡＩによって自律の世界へと飛躍するという考え方は、ＡＩ研究者の多くが共通して抱いているものです。しかし、ＡＩが行うパターン認識は本当に価値判断を導くことができるのでしょうか？

ＡＩは、実際に人類史であったことや書かれたことを論理的な枠組に翻訳してデータ化したもの、あるいは確率や統計的なデータとして整理されたものを読み込んでいきます。つまり、起こったことがすべてです。

単に過去のデータだけではなく、ＡＩがそこから新たに絞り込んだデータを生成し、学習を加速するアルゴリズムも使われてはいます。しかし、その場合でも根拠は過去のデータにあります。

そこから帰結されるものが常に価値中立的で、正しいものだということを前提にしてしまったら、出される答えは時に不可解なもの、あるいは限界の明らかなものになるのではないでしょうか。

AI依存の限界も見えてきている

最近も、こんなことが大きなニュースになっていました。

アマゾンが開発した、入社希望者の選別を効率化するための機械学習をベースにした人物評価システムが、女性を極めて低く見積もるものになっていたため運用を中止したというのです。

大量の願書をあっという間に読み込み、アマゾンに対して、雇用に最適と思われる人材を候補として推薦するというシステムで、採用担当者の負担を大幅に削減し、かつ、人が書面や短い時間の面接で判断するより、圧倒的に少ない労力で的確な候補者選択をするという触れ込みだったのですが、男性の志願者に偏って高い評価を与えていたというのです。

データとしてAIに提供されたIT企業の就労者や志望者に男性が圧倒的に多かったことから、AIが女性あるいは女性に関連するキーワードについて低い評価をするルールを自らつくってしまった、と推測されています。

または、顕在化はしていないのですが、一連の採用に、あらかじめ女性を低く見る何らかのバイアスが入り込んでいたのかもしれません。しかしＡＩはそれをもしっかり〝発見〟して学習してしまったということです。

余談ですが、最近は日本の政治に端を発して忖度という言葉がはやっています。もしＡＩが現在の日本の官僚の意思決定を学習したら、ＡＩの出す結論は忖度だらけのものになってしまうかもしれません。

また、グーグルが運用したヘイトスピーチを含むコンテンツをチェックするアルゴリズムについても、大きな問題が明らかになったと報道されました。

10万件以上の「有害」のラベル付けがされたツイートを用意し、ＡＩに機械学習させて新たなチェックツールをつくったのですが、黒人の投稿の多くをヘイトスピーチではないにもかかわらず有害と認定していたのです。ＡＩが与えられたサンプルデータから、黒人英語と呼ばれるものが使われているツイートを、ヘイトスピーチと判断するアルゴリズムをつくっていたために起きたと考えられています。

データの偏りを見つけられないＡＩ

アマゾンの例では、与えたデータの男女比が大きく異なり、男性が圧倒的に多いということから、ＡＩが女性を雇用することを不利とするアルゴリズムをつくり、グーグルの例では、黒人独特の英語とヘイトスピーチをＡＩが関連付けてしまったことから、黒人のスピーチを有害とするアルゴリズムをつくってしまった可能性があります。

もちろんＡＩ自身にあらかじめ女性や黒人に対する差別的な判断があったわけではありません（先に見たように、そういう価値判断に関わることを「弱いＡＩ」は行いようがありません）。

ここに示されているのは、人の行動を模倣しようとしたときの機械学習の注意点と限界です。使うデータ量が増えたときに機械学習は非常に有効であり、人間には見えなかった傾向やルールも浮かび上がってきます。しかし、データに偏りがあっても、それを疑ったり、ある判断軸で調整するといったことはできません。それが偏っていると判断する価値観を持ってないからです。

ＡＩは極めて優秀である反面、騙されやすい頭脳です。ＡＩが行うのはゼロベースの定量的なデータの機械処理だけであり、その点において人間の能力を遥かに凌ぐとはいえ、それ以外のことはできません。直感も予感もない。「そういうことは感覚的にあり得ない」というジャッジはできないのです。逆に、人には、そういった見抜く力が進化の果てに刻み込まれているのです。

予期せぬ「ルール」を見つけてしまうＡＩ

ＡＩであれば、それが完全であるとか、中立であるという幻想は捨てるべきです。それは優秀だけれども騙されやすく、学習のさせ方によっては人の主観も入り込むということは知っておかなければなりません。

これは工学制御であっても同じことです。つくったものが科学的に完璧であり、正しいと考えていけない。同様に、ＡＩや機械が中立的な神になるとは思ってはいけないということです。学習データの与え方によって判断は決まってしまうからです。

与えたデータの男女比の大きな違いや、黒人独特の言い回しの頻出という偏りがどう反映するか、データを与える人間には、あらかじめそれを警戒する配慮が必要になるといえるでしょう。

機械学習は、感情や意識、倫理などは扱えない、それらに関わる価値判断はできないと先に書きました。女性差別、黒人差別の方向にアルゴリズムが歪まないかということは、あらかじめ人間が考えておかなければならないのです。そのことへの無自覚が、逆に言えば、機械学習への過度の依存が、失敗の原因だったといえるでしょう。人間のやっていることをただデータとして機械学習に投げ出せば、こういうことが起こりうるのです。

AIは騙される

AIは現時点では人と同じ思考をすることができません。地球は丸いのではないかとひらめく直感もないし、アインシュタインのように、時空に歪みがあるのではないか、といった抽象的な思考も今はできません。

論理的な厳密さがあるかといえば、実はそれもないのです。いや、開発初期の人工知能にはあったかもしれません。しかし、先にご紹介したように、単に論理的な関係を整理するだけでは、人間の発する言葉や行動の持つ意味やその背景にあるものを理解することは到底できないとコンピューター開発者が行き詰まったときに登場したのが「確率」と「統計」に基づく問題の処理でした。しかし、AI発展の手法として、意味の世界に踏み込むことをやめたことの代償は小さくありません。「確率」と「統計」だけになったとき、コンピューターは、ある面では万能にさらに賢くなり、ある面では、何でも予め組み込まれ、思考せず、前提となる常識も知らず、騙されやすい存在になったのです。計算のパワーは確かに凄いから、データ量が増えた時は役に立ちます。しかし、データの与え方で簡単に騙すこともできるのです。

このデータでいいのか、差別にはつながらないか、あるいはその他の特殊な要因はないか、システムの開発担当者自身が、あらかじめそういう警戒心や意識、信念を持って機械学習に関わっていかなければならないのではないかと私は思います。

なぜそうなのか、ブラックボックスが生まれる

先のアマゾンとグーグルの事例が示唆することは、もう一つあります。

それは、ＡＩが何をどう判断してどういうアルゴリズムを作ったのかは、高度な機械学習では見えなくなってきています。

先のアマゾンやグーグルの例では、ＡＩに投入されたデータ量に限りがあり、また、データの内容も比較的単純なものだったので、事後的なチェックで、おそらくこのせいだろうという推測ができました。しかし、一般的には機械学習で出された結論が何をどう判断したものなのかということは分かりません。

囲碁の最強の人工知能といわれたAlphaGoに、なぜその手を打ったのかと聞いても、あまりにも複雑な計算をしているために明確な答えを得ることはできないのです。

しかも、囲碁のシステムはゲームの中の閉じられた世界ですが、リアルな世界を動かすシステムであれば、仮に失敗や事故があったときに「なぜＡＩがそういう判断をしたのか分からない」という答えで済ませることはできません。すでに似たようなことは、飛行機の自動操縦装置で起きています。パイロットの指示に逆らってオートパイロットが機首の上げ下げをコントロールし、それが墜落につながったのではないかと疑われる事故がありました。この時も、そのソフトウェアがなぜそういう判断をしたのかという詳細ははっきりしないままなのです。

これがＡＩによる機械学習で警戒しなければならない点です。

機械学習には「ブラックボックス」ができる。パターン認識の大きな負の側面といわなければなりません。得られた結論の真意を知ることも調整することもできないのです。

ＡＩを使うためにはすべてが見えていることが必要

ただしこの点については、ＡＩがなぜそういった結論を出したのかを見える化する取り組みが生まれています。

グーグルのクラウドＡＩ事業を担うセクションは、２０１９年秋に「Explainable AI」というサービスを発表しました。ＡＩによる判断の根拠を人に分かるように示してくれるもので、例えば画像認識であれば、その画像をＡと判断したのは、画像のどの部分に注目したからだということを示します。表形式のデータなら、モデルの予測にどの特徴量が大きく寄与しているのかを数値で示します。なぜＡＩがそう判断したのか、その大きな根拠となった要素を知ることができるわけです。ただし、なぜそこに注目したかという、その理由までは知ることができません。

マサチューセッツ工科大学教授で著名な宇宙物理学者であるアメリカのマックス・テグマークは、ＡＩに関しても最先端を走る研究者ですが、彼も「完全に理解可能で信頼できるＡＩ」をつくることを提唱しています。答えを導く道筋が分かれば、答えが間違ったとき、それを修正する作戦を立てやすくなるからでしょう。

初期のＡＩが論理的で分かりやすいものだったのに比べて、ニューラルネットワークで学ぶＡＩは人間が完全には理解できないものになってしまっていると指摘するテグマークは、ＡＩを管理する知恵を持つことこそ人類がＡＩとの未来をすばらしいものにする唯一の道だと語っています。そのために今必要なことは、ＡＩを強力にすることではなく、その安全性研究であるというのです。傾聴すべき発言だと思います。

行動経済学が明らかにしたこと

機械学習がデータに潜むバイアスを見逃すケースがあること、かつ、ブラックボックスをつくって人間には合理的な理由が見えないところで、時に不完全で危険な判断を下すものであることは、今見たとおりです。

さらにＡＩに機械学習でパターン認識をさせる際のもう一つのより根本的な問題は、そもそも人間の行動を読み取らせ、そこに出てくるパターンをルール化することに問題はないのかということです。人間が〝お手本〟で本当に大丈夫なのでしょうか。

歴史学者のハラリが、ホモ・サピエンスが知恵を尽くして生き延びてきたことは先にご紹介したとおりであり、人類はすべてその末裔であることは覚えておいていいことだと思います。

２０１７年のノーベル経済学賞を受賞したシカゴ大学のリチャード・セイラー教授は、人間の経済行動について心理学を交えて分析する「行動経済学」の提唱者として知られています。

その行動経済学の知見を待つまでもなく、人間はしばしば、合理的ではない意思決定をします。

人間は常に論理的で合理的で、また倫理的な行動をとっているわけではありません。人間はそんなに立派な存在ではないのです。その人間の行いが、ルールとして仰ぐべき

〝鏡〟になるでしょうか。

ギャンブルで負け続けた人間が最後の賭けで取るべき行為は何か？　合理的に考えれば、たとえ勝ったときの取り分は少なくても、より勝つ可能性が高いものに賭けてその日の損害をできるだけ少なく抑えることでしょう。その日の損を一気に取り戻すために、有り金をはたいて勝ち目の低いものに掛けることではありません。そもそもその日は負け続けるという不運に見舞われてもいるのです。

しかしどうでしょうか。大概の人間は最後の〝大勝負〟に出るのではないでしょうか。そして、多くの場合、さらに損害を大きくして後悔しながら賭場を去るのです。

あるいは、「今なら10万円だが、1年後なら12万円あげる。どちらがいい？」といわれたら、20％もの利回りの金融商品などどこを探してもないにもかかわらず、ほとんどの人が今の10万円を選択するといわれます。確かにそうかもしれません。

人間の選択は数学的に見れば不合理なものです。不合理だけでなく、時には愚かなものでもある。ですが、そういった価値判断の方程式が、とてつもなく複雑な関数として先天的に組み込まれており、人の頭は独自のルールで判断をしているのです。それが現実です。

にもかかわらず、それをパターンとして学ぶのかという問題があるのです。どこまで人間の過去の足跡に学ぶことができるのか、学ぶ価値があるのかということも、パターン認識の大きな課題として残っています。

「覚悟」を持たなければ、技術に引きずられる

今、ＡＩによる機械学習やディープラーニングが、教えられなくても自らルールを発見し、その下で判断を下すという能力をフルに発揮して、リアル世界で自律システムや自律ロボットを作り上げようとしています。

「自律頭脳＋動作する機械」という組み合わせの登場は、かつての原子力や遺伝子組み換えに匹敵する、いやそれ以上の社会的インパクトを持っています。それは私たちに、倫理に関する真剣な議論と人間がこの地球上で生きていくことの意味、その存在価値についての真剣な議論を呼び起こさずにはいません。

しかし、これまでの原子力利用や遺伝子操作の実態を見れば、人間の知恵や倫理、哲学

は、新たな技術開発へと向かう人間の情熱や欲求に常に立ち後れてきたように思います。技術の革新性や新奇性に引きずられ、私たちは相応の〝覚悟〟を持たないまま、ずるずると「最先端技術」にのめり込んできたといえるのではないでしょうか。

実際、今世界には2万発を超える核弾頭が存在しているといわれ、しかし、国連による核軍縮の歩みは各国の思惑が錯綜し、停滞しています。

遺伝子操作についても、すでに大豆やトウモロコシなどの遺伝子組み換え作物が流通していますが、人体への影響に関する研究や検証が十分に行われているとはいえません。

さらに、2018年11月には、中国人医師が「ゲノム編集技術で遺伝子を改変した受精卵から双子の女児を誕生させた」ことを公表し、世界を驚愕させました。間もなく世界の研究者から激しい批判が浴びせられ、規制を求める声が上がりましたが、「デザイナーベビー」の誕生は事実と思われ、規制の議論は明らかに立ち後れているのです。

そして今、自律頭脳は新たな進化を遂げようとしています。

「自律ロボット」の誕生は、原子力、遺伝子操作に続いて、人類の存続を脅かす可能性のある巨大な第3の技術になるでしょう。明らかに「パラダイムシフト」と呼ぶべき事態です。

大きな転換がすでに始まっている。しかも、人間の心の準備が整わないまま、むしろ「便利だ」という一面的な歓迎のメッセージに包まれて、堰を切ったように人間社会に取り込まれようとしています。

それが本当に人類にとっての福音なのか、それとも、その存続を揺るがすような大きな脅威なのか、決定するのは今の私たちであり、その真摯な検討は私たちに課せられた大きな使命です。

なし崩し的に進もうとしている自律システムや自律ロボットがコントロールする社会への転換に、私たちは、どのように関わっていくべきなのでしょうか。自律する機械をいかにコントロールし、共存していくのか、そのことを次章で考えてみたいと思います。

［第3章］

AIをどう教育すべきか
――自律世界の未来を定めるのは人間である

生物次元のものは教えられない

繰り返し述べているように、自律には価値判断が伴います。

本能や衝動を含む原始的な履歴をすべて内包した人類同等の脳を持たない限り、人とまったく同じ重みを持って意志決定する自律機械や自律ロボットを作ることはできません。

人間の脳は、現在までのすべての進化の歴史を踏襲しています。

原始の微生物だったときの神経の萌芽から、脊椎動物への分岐を経て、人になるまでのすべての履歴を内部に宿しています。「本来、人とは」と私たちがいうとき、それには悪しきこともすべて含め、その全体をもって定義されるものなのです。

自律のメルクマールである目標設定には、自分の育った環境や歴史、生物として数億年を生きてきた歴史がすべて反映します。

赤ん坊はお腹がすいたら泣き叫びます。今でも私たちには狩猟採取時代の飢餓の記憶が残っていて、必要以上にカロリーをため込もうとします。疲れたときは甘い物が欲しくなる。現代の都市生活で、生命が危機に瀕するほどの飢餓に襲われることは先ずありませんから、実際に「甘い物」の摂取に合理性があるかどうかは別です。しかし、その意識の根底に流れているのは、人の体は飢餓状態に陥ると、貯蔵している糖（グリコーゲン）を生命維持、特に脳活動の維持に優先的に回すため、その補充が最重要になるという、人間の生理を反映したものです。頭でよく考えて行動しているものではありません。

こうした生物的な面は、少なくとも今のＡＩは取り込んでいません。

お腹がすいたら泣くという動物的な反応は、パターン認識することができるでしょう。これは単純です。しかし、喜怒哀楽、欲求すべての本能の組み合わせによってそれがどのような優先順位と強弱で、どのように発現するかは、１００人の人間がいれば１００通りであり、極めて複雑です。生物学的に発現するものは、パターンとして教えられないし、学べないのです。

人間にとって未知であり、分かっていない機構は、本質的には学習できません。表面的に再現できたように見えても、その本質、つまりどうやって判断されたのかは永遠に分からないし、合理的には追跡できない発作的な判断もあるかもしれません。

人間をお手本にするというなら、本来はこの領域にまで深く学びが内在化されていない限り、自ら判断を下しているように見えても「それは人レベルの自律ではない」のです。この「生物的衝動」の次元の世界は、生命の進化の歩みとともに獲得された本能的なものであり、10億年を超える経験の蓄積があり、論理的に教えることのできない世界です。その意味では、ＡＩはどこまで進化しても、人間の脳が行う判断と同じ次元に達することはできません。

強化学習が目的設定に新たな道を拓いた

ところが、先にご紹介した機械学習が今飛躍的に進化しています。強化学習と呼ばれるものがその中心です。これらのアプローチが、ＡＩに目的設定の道を拓きました。

もちろん、人間の行うものと同一ではありません。しかし、目的を与えればそれに向かって試行錯誤し、判断を重ねながら行動していくことができます。自律的な行動を決定する価値判定のルールを、ＡＩ自身が獲得しようとするのです。

今、ＡＩが強化学習を通して獲得しようとしている自律を整理しておきましょう。

人間には、身体的な感覚や感情まで動員しておこなう意思決定があり、そうした個人的で内発的な決断を通して行動が選択されます。これこそが自律の本義だと、はじめにでも書きました。

根本にあるのは、長い進化を経て獲得してきた生存意欲です。

人間は、淘汰に勝った者だけが生存するという大きな原理の下で、ただ生き抜くことを最大の目的としてきました。

その好奇心も、競争心も、学習欲も、支配欲も、さらには後天的に獲得された道徳や倫理も、すべてそれにつながるものとして解釈することができます。人間のあらゆる意思決定の大元には、その行動が生存にどう寄与するか、ということとして解釈され、置き換えられ、スコア化されたものがあるのだと思います。

そしてスコアの高いものが価値あるものとして選択される。

つまり自律判断を構成するのは、生存を維持するという目的関数であり、それに付属する報酬関数や価値関数があるということです。こういう行動を取れば、それに対してこういう報酬が得られるとか、それは目的関数を最大化するためにこれだけの現在価値があるという「計算」が常に行われ、その結果として行動の選択があるわけです。

ただし、この計算のルートは簡単には見通せません。

人間の感情、より正確にいえば情動も、外部からの情報に脳が反応し自律神経のトリガーによって無意識のうちに脈拍や表情などに反映したものです。自分の無意識な反応を、自分の内部で感じているということです。どのような仕組みかは未だにはっきりしていないものの、これも意思決定に影響しています。

先天的本能的な反応と論理的な思考が一つになって最終決定をするのです。しかも、情動のような人に特有な現象は生存本能に深く根ざしており、価値判定に占める支配力が強いといえます。目的関数を最大化するための価値関数としてあるウエイトを占めるのです。

先に「トロッコ問題」として紹介した緊急時の人間の選択が掴みにくいのは、人間の価値関数の根本が、本能のレベルの自分を守るというところにあり、そのときの判断が何に突き動かされたものなのか、一つに絞り込めないからです。突然の事象に驚く本能的な反応、自分を守ることで得る価値、他人を守るという道徳的な価値（その結果、高い目的を達したという自己満足）、さらに刑罰から逃れる価値などが混ぜ合わさって最終決定をしているからです。本当に究極的には、事故の瞬間は、他人ではなく自分を優先しているのが人かもしれません。

いずれにしても、自律して活動する人間は、このような目的関数最大化のために、得られる報酬、価値をスコア化し、行動の選択の基準にしているということがあります。ただしここには進化で獲得された先天的な生存本能が入りこんでおり、クリアには見えません。しかも、得をすることよりも、損をすることを大きく見積もるようなバイアスもあります。しかし、この複雑さこそ、人間ならではの自律であるわけです。

そして当然ですが、肉体を持たず、生存本能を持たないロボットには、こういう目的設定も価値判定も意図して与えない限りあり得ません。ロボットが人間と同じような判断をして目的に向かって自律して進むことはないのです。それはこれまで書いてきたとおりです。

報酬の最大化を目指してロボットが自律する

しかし、自律の構造がこのように、目的関数と、それに至る過程での一つひとつの選択による報酬と、それを選ぶことによって目的関数の最大化にどれだけ貢献できるかという価値の設定によるものであり、それが数値化できると分かった時、これは人がロボットに設定できるものになります。

ある場面で、何かを選択すると一定の報酬が与えられるようにし、さらにそれが目的への到達にどれほど寄与するものであるかを価値として明確にします。こうすればロボットは、選択が迫られるたびに目的関数が最大になるように報酬と価値を計算しながら、最適な選択ができるように学習を重ねていくことができます。それはあたかも人間が、生存に向かって最適な選択を重ねて行くのと同じプロセスを辿ることになるのです。目的実現のために、判断し、意志決定を重ねながら学習行動していくことになります。

ＡＩあるいはロボットが、生存という本能的な目的は持っていないにしても、だから価値判断ができないというのではなく、目的関数を定めれば、その最大化を目指して、あたかも人間が思考するように自律的に考え、選択を重ねていくことができる存在になるということです。

これを明らかにしたことは、機械学習の一つである強化学習の非常に大きな成果でした。強化学習では、目的関数、報酬関数、価値関数といったものを設計できれば、あとはネットワークを学習させ、それを使って自律的な判断の連鎖を起こせます。これによって人間だけが持つ目的設定、意思決定のルールとプロセスを一般化し、ロボットが価値判定をしながら自律的に動けるようになるのです。自律ロボットは、設定次第で実現するということができるのです。

特定用途の自律ロボットは近い将来誕生する

もちろん、自律させる以上、自律を駆動する大元には、人でいう生存価値の代わりになる何かを獲得させる必要があります。人が与えることもできるし、学習を通じて自分で獲得することもできる。それを人同等のもの、人に近いものとすれば、先にご紹介したAGI（汎用型AI）になります。しかし、人の再現にこだわり続けるのならば、実現には相当の時間がかかるでしょう。人の脳は非常に複雑で、分からないことばかりだからです。

しかし、人と同じであることにこだわらず、特定の目的に応じて行動を決める価値関数をロボットに与えることができれば、人間社会の中で活動する特定用途のロボットは、近い将来誕生するでしょう。その目的実現の範囲において人と同等の性能を持ち、ただし、生存本能に駆動されないという点で判断の結果が人とは異なるというＡＧＩが誕生します。

仮にこのＡＧＩの根本に「人を守る」という目的関数を組み込めば、そのために行動するでしょうが、映画にもあったように、人を守るという目的を拡大解釈して、ＡＧＩ自身が支配者になることが必要だという結論を出し、人間に立ち向かってくるかもしれません。

何を目的とするか、ＡＩの自律化を進める上では、最も根本の価値の与え方は人間が設計しなくてはいけないということです。

逆強化学習が明らかにするもの

また、強化学習と並んで「逆強化学習」というものがＡＩ研究者の手で開発されています。強化学習は、目的を定め、そこに至る道筋を、常に報酬を最大化する方策を求めることで辿らせるものですが、何を報酬とするか、決められない場合があります。「トロッコ問題」はその典型でした。何をもって求める運転の報酬とするのか。「歩行者の安全」であるのか「自分の生命」であるのか「予定の時刻に目的地に着くことなのか」――選択が難しい。また、人によっても異なります。

こうした場合に、行為者が実際に取った方策（行動）こそが合理的で最適だったという前提に立ち、実際の行動データから報酬を逆に求める。つまり、こういう行動が取られたのは、例えば「歩行者の安全」が報酬であったからだと学習し、それをルール化するというものです。

報酬を設定してそれを最大化できるようにＡＩを教育するのが強化学習であったのに対して、その逆を行うので「逆強化学習」と呼ばれています。

現象の振る舞いから、ＡＩを学習させる報酬を逆に推定する方法です。

これが発展すれば、人の行動を見せることで、人の意思決定の根本のルール、報酬の決め方を見抜かせるという可能性があるでしょう。ただし、人が取る行動は一律ではありません。教育や育った環境が違えば、異なる可能性があります。すると全人類の平均値マシンなどというものが実現するのかもしれません。

ロボットに求める自律のゴール

ＡＧＩが実現できるか、それをすべきか、という議論にはあまり意味がないということも、付け加えておきたいと思います。なぜなら、ＡＩには生存する肉体がありません。感情や情動をつくることがＡＩのゴールであり、それが究極のＡＧＩだという取り組みもありますが、それはどこまでいっても根底に生命維持という本能を持たない「作り物」でしかありません。そこにエネルギーを注いでも仕方がないように思います。

大事なことは、目的関数の最大化に向けて、報酬関数や価値関数を複雑化していけば、人のような複雑な思考をつくることが、今の延長で近い将来できるということです。すでにその見通しは立っています。今後、ロボット制御や、画像処理などのさまざまな技術がさらに進むでしょうが、それと並行して、この根本のルールをつくることが大事になるのではないでしょうか。

おそらくここがロボットに求める自律のゴールであり、私たちが目指すべきものだと思います。人間にすることがゴールではない。そもそもそれはあり得ないことだからです。

人間にとって有用な自律ロボットを作るためには、価値判定ができるように、私たちが教えること、そのための智恵を授けることだと思います。

目的を定め、選択肢一つひとつを、それを選ぶことで得られる報酬を示し、それを目的関数を最大化する方向でスコア化したうえで比較・選択できるようにする。そうすれば、ロボットはまるで人間のように、目標に向かって試行錯誤しながら行動を積み重ねていくでしょう。

AIに判断させるのではなく、人が根拠を与える

自律させるなら、道徳や倫理、教養を、AIの用語でいう目的関数、報酬関数、価値関数に置き換えて、AIに学ばせることが必要です。

人が何をすべきか考えるとき、人がミッションを決めるときに用いるのは、理性的な判断だけではありません。本能的な欲求に上乗せさせたり介入させる形で、それまでの人生

で学んだ価値観、理念、宗教、倫理などを基礎にします。

別に私は特定の宗教に傾倒しているわけではありませんが、簡単な例でいえば、ヒンズー教徒は肉食を控え、穢れを怖れ、頭は神聖なものであり、触れられることを嫌います。イスラム教徒は豚を食べず、アルコールも飲まない。そして多くの女性は顔と手以外を隠します。そういう価値基準を持っています。

キリスト教や仏教や儒教でも、それぞれ教えや戒律があります。独自の道徳によって、人を助ける、隣人を愛する、年長者を敬うといった価値観を持っています。特定の宗教や宗派ではなくても、ある地域に住む人々や民族が、伝統的に継承している倫理や生活規範があります。これらも個人の価値判断や行動を決める根拠になっていきます。

また、そのときの感情によって暴力に訴える人がいることからも明らかなように、感情も人の行動、ミッションに大きな影響を与えます。

こうした無限の自由度と選択肢の中でミッションを決めるとき、人は集団で暮らす文明の登場以降、本能を抑え、自らの存在に社会的な制約を課すことで、共存が可能なようにそれを限定してきました。

問答無用でいきなり他人を殺してはいけないといったことも、実は本来生物に禁止されていることではありません。人が、自ら共同生活を送る社会に必要な制約として、経験に学びながらルールとして課してきたのです。

人はこうした価値観や行動規範を前提とし、本能や感情、後天的に学んだことも含めた個人の歴史のすべて、そしてそこに無意識に入り込んでいる生物としての人間の進化の歴史のすべてを背景にミッションを決定します。


これをロボットにそのまま学ばせることはできません。

しかし、後天的に養った道徳や行動規範、人類が共同社会を運営する上で後から取り決めた社会形式や約束事は学習させることができます。明文化されていることも多く、広く人々に共有されており、日々の生活を通じて学習すべきものとして規範がはっきりしているからです。

宗教や国、地域ごとに異なる教義や道徳、生活習慣や文化は、すべてＡＩに教えることができます。宗教というのは、結局、何をしてはいけないというアクションの体系です。だからそれは教えられるのです。報酬関数や価値関数の設計次第で、どの方向に導くかを決めることができます。ロボットはそれを学び、この場はこうした方が報酬が大きく、したがって目的関数の最大化のために価値が高いと、自分で選択すべき行動を学びながら進んでいきます。

後天的に学んだことはすべて教えることができる

生まれた瞬間にすでに埋め込まれていないものは、すべて後天的に学んだものですから、教えられてきた過程があるはずです。人が生まれてから、その集団の中で後天的に学ぶ風習や文化は、すべてロボットにトレースすることが可能でしょう。

後天的な戒律は、基本動作判断が良い悪いという是非のバロメータであり、顕在化していいます。仮に潜在的なものであっても、データ化すればＡＩが特徴点やパターンを見いだします。キリスト教の聖書も、いろいろな実例、ストーリーでイエス・キリストの行動を伝え、そのストーリーの蓄積から、なんらかの価値観を特徴点として導き、教義としているように思います。

後天的で社会的＝非生物的な人文学的なものはすべて教えられるのです。ある状態になったらこうするということを、一つひとつハードコードで書いておけばいい。そして、報酬の体系を設計し、誘導していけばいいのです。

何を教えないか、判断させないか

つまり、自動から自律へと移行していく現在の社会の最大の課題は、ＡＩやロボットに何を、どこまで教えるのかということであり、すでに教えたものがあるとすれば、それが妥当かどうかということです。

単に、ありのままの人間史や社会を忠実に再現すればいいということではありません。すでに見たように、そもそもそれは不可能です。極論すれば、77億の異なる人間に77億通りの価値観があります。歴史上、同じだったこともありません。魔女狩りが正当化されたときもあります。歴史上には、19世紀までも、そして今も、多くの血なまぐさい話があることは誰も否定できません。

では世界共通の、ただ一つのスーパー知能をつくるのか。それも違うでしょう。到底合意が得られるものにはなりません。

先に「完全に理解可能なＡＩ」を提唱している研究者として紹介したマックス・テグマークも、倫理をコードとしてＡＩにプログラムすること自身は特に難しいことではない。困難は、受け継がれている人間の倫理観に一貫性がなく、内容もたいしたものではなくて、これからよりよいものを見つけなければならないということだ、と語っています。

多様性、変化性、修正しながら構築していくもの――こうした幅広い視点から洞察をして、教えるものについて考えていかなければならないでしょう。

すべては教育にかかっている

これから登場するであろう自動運転も、自律ロボットも、自律ドローンも、どんどん機械が判断するようになれば、何を教えたか、何を根拠に報酬関数や価値関数を設計しているのかということに直面することになります。すくなくとも開発者はそれを軽視することはできません。もしも自律ロボットが何らかの損害を与えたら、開発者にはその責任が問われるかもしれないのです。「一体あなたはどういうことを教えたのか？」と問われるでしょう。機械をつくっているつもりの科学者が、機械の行動原理を、まるで、神のように創造してしまっているのです。

自動から自律したソフトウェアや自律ロボットへ、そして社会全体を運営する自律システムへと向かう今、最も重要なのは教える内容です。

そこには、試行錯誤も当然あるでしょう。将来の人類の価値観などは変わっていきます。環境意識にしても、今とは異なるでしょう。もちろん、人によっても違います。もしかしたら100年後は、今より数段、物に満たされ医療が発達した社会になり、環境問題への取り組みこそが最大のテーマであり、最も重要な価値観になるのかもしれません。

繰り返しになりますが、機械学習（ディープラーニング）や新しいアルゴリズムという形で学ぶ仕組みができた今、その仕組み以上に大事なのは、何を学ばせるかという中身にあります。これから、自律システムが組み上げられ、いずれシステムが完成する時がきます。そうなれば教えた内容、それがどのように機械に吸収されたかが最も大事です。

教えるということが、自分が今理解している内容を改めて言語化することであり、そのため自分の学んだ内容を試し、学び直しにつながるということは誰でも経験的に理解していることでしょう。

同じことが今、私たちに問われています。

自律へと向かう巨大なパラダイムシフトが私たちに突きつけているのは、これまで生き延びてきた人類として、この超頭脳とでも呼ぶべき新たな存在に何を教えるかということなのです。

いったいどんな指導原理を与えるのか？

どんな目的関数を定め、報酬関数をどう設計するのか。つまり自律するロボットをどこに向かって、何をインセンティブにして誘導するのか、私たちは考えなければなりません。

教えるためには私たちが先ず知っていなければならない

私たちはどういう社会をつくるのか、どう生きていくのか——この問いへの解答を私たち自身が導き出さなければ、教えることはできないのです。

自律社会への技術革新は、結局、人がどう生きていくかという原理的な問題に帰ってきます。

自動の世界にこの議論はありません。必ず人が決めたルール通りに動くからです。しかし自律は、判断のための指導原理を必要とします。小さな子どもの教育に近いのかもしれません。「この子にどんな行動基準を学ばせればいいのか」と親は考えます。

たとえ数学の計算や過去の事実の記憶において、あるいはチェスや囲碁・将棋の能力においてＡＩが人間を遙かに凌ぐ知力を持っていたとしても、これだけは人間独自の脳の力であり、失ってはならないものだというものがあるはずです。ＡＩの出現以前は、何が動物と人間を区別するのか、何が機械と人間を区別するのかという問いへの答えは難しくはありませんでした。実際、さまざまな定義が試みられ、多くの人の同意を得てきました。

人間は「さまざまな娯楽を発明して楽しみ」「目的のために道具をつくり使いこなし」、あるいは「考える主体」であり「赤面する存在」であり、「死ぬことを知っている存在」であるなど、古今東西のさまざまな哲学者や識者が語ってきました。

しかしＡＩという「超頭脳」が誕生し、その能力が飛躍的に高まるにつれ、「それは人間だけではなく、ＡＩでもできる」ということが次々と生まれました。そのたびに「それはＡＩにもできるかもしれないが、でもこれだけは人間にしかできない」といえるものは何かということが、突きつけられているのです。

何において人間は人間であることを保つのか。ＡＩは改めて私たちに「人間とは何か」という問いを突きつけます。

ＡＩを人間の管理下に置き続けること

先にご紹介したマックス・テグマークは、将来完成するであろうＡＧＩに対する人間の立場には3つあると主張しています。

一つは、ＡＧＩができてもインターネットにつながず、人の管理下に置くというもの。二つ目はＡＧＩは人類の進化の行き着いた先であり、人間の価値観を引き継いでいる。だから人間に取って代わってもまったく問題ないとするもの、そして三つ目が私たちと同じ価値観を持ち、人間を大事にするＡＧＩを安全工学的につくってしまうというものです。

そしてテグマークはこの三つ目を取り、早めに倫理基準を作り、超えてはならない一線を明確にルール化すべきだと主張しています。

実際、同氏は「フューチャー・オブ・ライフ・インスティテュート」という団体を立ち上げ、また世界規模でＡＩの安全性についての検討を進める研究者の国際的な会合を開き、その後、ＡＩが人類にとって本当に有益なものであるために問われるべき倫理問題や安全性への対策を23の原則としてまとめた「アシロマＡＩ原則」を公表し、千人を超える研究者からの同意署名を得ています。

「アシロマAI原則」（抜粋）

23項目はいずれも重要性の高いものですが、とくに以下のものは人工知能に関わる者が、しっかりと守らなければならない非常に重要な約束であると思います。（筆者）

(9) 責任：高度な人工知能システムの設計者および構築者は、その利用、悪用、結果がもたらす道徳的影響に責任を負い、かつ、そうした影響の形成に関わるステークホルダーである。

(10) 価値観の調和：高度な自律的人工知能システムは、その目的と振る舞いが確実に人間の価値観と調和するよう設計されるべきである。

(11) 人間の価値観：人工知能システムは、人間の尊厳、権利、自由、そして文化的多様性に適合するように設計され、運用されるべきである。

(14) 利益の共有：人工知能技術は、できる限り多くの人々に利益をもたらし、また力を与えるべきである。

(15) 繁栄の共有：人工知能によって作り出される経済的繁栄は、広く共有され、人類すべての利益となるべきである。

(16) 人間による制御：人間が実現しようとする目的の達成を人工知能システムに任せようとする場合、その方法と、それ以前に判断を委ねるか否かについての判断を人間が行うべきである。

(23) 公益：広く共有される倫理的理想のため、および、特定の組織ではなく全人類の利益のために超知能は開発されるべきである。

(https://futureoflife.org/ai-principles-japanese/)

テグマークの「三つ目の立場」にある「人間を大事にする」ということが、具体的にどういうものなのか、同氏の見解は今ひとつ明確ではなく、その点で曲解されたり、歪められたりする余地がないとはいえませんが、価値観を教えていくという主張は、まったくその通りであると思います。ＡＩを含む自律的な頭脳やシステムを使うということは、教育をし続けなければいけないということです。責任持って育てる、責任を持ち続けることが大事であろうと思います。

新たな遺伝子をつくるバイオテクノロジーと並び、人工知能に関わる科学者やメーカーの役割と責任は非常に大きいものがあるとテグマークも語ります。だからこそ「アシロマＡＩ原則」をまとめ、世界中の科学者に問い、大きな世論をつくろうとしているのでしょう。

「どんなテクノロジーにも肯定面と否定面がある」と考える彼は、いかにそのよい面を伸ばし、悪しき面を抑制するか、その「智恵のレース」に挑まなければならないと語ります。その試行錯誤を私たちは引き受けて積極的に進めていかなければなりません。

知恵を結集して「否定面を潰す」ことを丹念に続けていかなければならないとテグマー

クは説き続けます。

ドローン兵器をどうするのか

しばしば語られているように、自律するＡＩが将来直面する大きな問題の一つが、ドローンを使った無人兵器です。

実はすでにアメリカやイスラエルによって実用化されており、最近では２０１９年９月のサウジアラビアの石油施設に、イランによるといわれるドローンによる攻撃が行われ、施設能力の５％が破壊されるという事件も起きています。

安価に入手でき、従来のミサイルを想定した防空システムの網に掛からないドローン兵器は、軍事支出に余裕のない国や武装組織にとって願ってもない兵器です。高性能戦闘機一機、一発のミサイルとは比較にならない低額で手にすることができます。そして攻撃目標の位置情報や写真を入力して飛ばせば、あとは一人で攻撃を敢行してくれる。操縦者はいりません。地形を読み、障害物を巧みに避け、独力で飛ぶ。自律の度合いが高まれば高まるほど、「優秀な」兵器になるでしょう。これはもうリアルな世界です。

そして高度な軍事技術は、必ず民生用にスピンオフされます。インターネットもGPSも当初は軍事目的で開発されたものであり、公共空間を利用する人の体温を次々と自動測定する技術も、元はミサイル誘導のために弾頭に取り付けるセンサーの技術でした。ドローン兵器が誰でも入手できる簡易な兵器になってしまう可能性は否定できません。その時には、もし憎い相手に危害を加えたいと思ったら、その顔と位置情報を与えれば後はドローンがやってくれるという悪夢のようなことが現実化するかもしれないのです。

かつて1960年代の後半に細菌を使った生物兵器が開発されようとしたとき、国際社会は危機意識を強め、直ちに生物兵器禁止条約（正式名称は「細菌兵器及び毒素兵器の開発、生産及び貯蔵の禁止並びに廃棄に関する条約」）を用意しました。そして、国連などの場での議論を重ねて採択。1975年に発効しました。日本も1972年に批准しています。その後も、条約締結国の間で、5年毎に運用検討会議が開催され、実効あるものとして維持するための取り組みが続いています。ドローン兵器についても、同様の対策が必要でしょう。AIの自律を人類が恩恵として享受するためには、その否定面を潰す努力が必要なのです。

プラットフォーマーはどういう世界をつくろうとしているか

ＡＩの自律は着々と進んでいます。

ＧＡＦＡをはじめとするプラットフォーマーが、どのようなメッセージを是とするか、非とするか、それはＡＩが自律して判断するようになっており、倫理に触れるようなところまで来ています。

人間が指導原理を与えたら、そのプラットフォームは、それに沿った世界を構築できてしまいます。実際、フェイスブックもツイッターも、一定の基準を設けて削除すべきメッセージを選んでいるはずです。毎日、何億、何十億と飛び交うテキストや写真を、人間がチェックできるわけがありません。

前にも指摘したように、この自律世界を支配している原理は、人間が過去から長い時間を掛けてつくったものではありません。ＡＩが与えられたデータから何らかの手続きを通して打ち立てたルールです。

人間の過去の行動パターンから学んだのか、何らかの指導原理を教わってそれを採用しているのか、その両方なのか――詳細は分かりません。しかし、それを見極める力を持つことが必要です。

プラットフォーマーによってつくり出されつつある自律頭脳は、ソフトウェアに閉じた世界でのそれであり、独自の判断をしているといっても、最後は人が決定を下す余地が残されています。

しかし、それがハードの世界、ロボットの世界に進出し、人間から自律したリアルな世界をつくるまで、もう半歩のところまで来ています。自律頭脳が肉体を持って動き始めたとき、それは社会に大きなインパクトを与えるものになります。そしてそれこそが今まさに起きようとしていることなのです。

本当の知には歴史性も身体性もある

ＡＩないしは何らかの人工知能に匹敵するアルゴリズムがつくる自律した社会とは、人類とは独立した「知的な生物」が私たちのそばにいる、ということだともいえるでしょう。

そばにいるというだけではない。それが私たちの社会を律する存在になっているかもしれないのです。

本来の人類の知能は、脳の表層の知的な作業だけで導かれるものではありません。脳の深部、そして脳以外の体全体が受け取る感覚も、深く関係しているでしょう。その総体が私たちの知を構成しています。そこには生命として生き延びてきた数億年の知恵も受け継がれています。

しかし新たに誕生する自律した知は、歴史性（原始性）も身体性も欠いた不可思議な知です。表層の知的活動だけが異常に発達し、判断の基準はといえば、人間のパターンを自分なりにトレースし、あるいは、後から教え込まれたものです。

しかしこの知がリアルな世界を動かそうとしている。私たちは、この不可思議で強力な知と共存していかなければなりません。いかに使いこなすのか、ＡＩによる自律の真の姿を知って、私たちが主導しながら、それを活用していくことが求められています。

ありのままでは表層的なものにとどまる人工知能、この新たな生物に、意思決定の指導原理を教える教育をしなければいけないのです。パターン認識をするＡＩに、人の価値観を教えていく。もちろんそれは一つである必要はありません。多様なものであってよいと思います。

教えるために歴史を振り返る

教えるということにとって、歴史を大事にするという視点は重要です。私たちが進化していくためには、先人の足跡を訪ね、そこから学ぶことも重要だからです。

あるとき、オックスフォード大学で学んだ友人と「なぜオックスフォード大学が偉人の輩出を続けるのか」ということについて話をする機会がありました。友人は、1600年代からどんな人が学び、誰が何を成し遂げたかということについて、学んだり触れたりする機会が多いということを話していました。先人を尊ぶ文化があるということなのです。そのため自分も、そういう価値観を抽出しそれに向かって行動するようになる。これから成し遂げようとすることが、先人を基準にしてどんな価値があるか、それを知らず知らずのうちに考えるようになっていったというのです。そのようにして、個人の中に人生の行動を決める一つの基準ができるようです。

つまり、倫理や価値観は、歴史に依存するものでもあります。人が過去にどのような決断をしたか、その歴史を伝えることも大切な要素といえるのではないでしょうか。歴史や歴史的判断をすべて教えてみるのも面白い試みのように思います。

価値観を受け継いでいく

価値観や倫理観が、どのように形成されていくのか、それを考えるヒントの一つとしてアメリカの歴史家コリン・ウッダードの『11の国のアメリカ史――分断と相克の400年歴史の重要性』は興味深い書物です。

ウッダードは、アメリカという国家は実は11の異なるネイションから成り立つもので、その間の協力と闘争こそ、アメリカという国を形作るものだというのです。

そして、アメリカ文化とは、北米大陸の初期の入植者たちが、出身地から意識的か無意識的かを問わずに持ち込んだものが基盤となり、その後も継続して定めているものだと説くのです。

私が注目するのは、最初に設計した人、あるいは、もともとそこにいた人の価値観が、その後の文化形成に大きく影響しているという点です。
そこに途中から進出してきた移民は、最初の住民の価値観に同化していく。例えば、ニューヨークはもともとオランダ領であり、今のアメリカを象徴する自由の理念は、元をたどればオランダの文化、価値観が根底にある。そして、今のアメリカの共和党・民主党、それぞれの根幹にある価値観や意見対立も、それぞれの地域の歴史がつくった——なかなか面白い指摘だと思います。

こういった考察も、いま考える自律の倫理観、価値観形成に無縁のものではありません。価値観は、あるものに歴史的に積み重なっていくという面があります。システム開発に関わるエンジニアや開発者の精神も非常に大事になってくるのではないでしょうか。

そうみると、GAFAと呼ばれる巨大プラットフォーマーの今後の進化の戦略も、創業者の影響を強く受けているように思います。今後、GAFAの事業が別の人によって継承され、発展させられていっても、何のためのソフトウェアをつくろうとしたかという初期の思想は残るでしょう。すでにそういう枠組みの中で、世界は発展していこうとしているという気がします。

制約を持ちながらもある種の自律性を身につけ始めたＡＩは、記憶と計算に異常に秀でた極めて特殊な頭脳であり、人類が初めて出会う「知的生物」です。この新たに誕生した「知的生物」との関係を構築するためには、どのような生き物であって欲しいかという私たち自身がつくり上げる指針と、それに基づいた教育が必要です。

人間なら、すでにもうここにいる

サイバーカルチャーの論客として知られるアメリカの著述家ケヴィン・ケリーは、自律性を持ち始めたＡＩに対して、彼らのメリットは人間と違う形で創造的である点にあり、人間は彼らに、人間のように創造的になって欲しいとは思っていない。人間ならすでにいるのであり、人間と同じような存在をもう一つつくろうとする試みに魅力はない。機械固有の論理と創造性の発揮にこそ期待しているのだという趣旨のことを述べています。卓見だと思います。

人間とは区別された「知」であるからこそ、人間にとって意味があり、人間とＡＩとのタッグにこそ、これまで人類が持ち得なかった新しい知性が生まれるのです。

人間とＡＩのチームこそ、ＡＩの独創性を導き出し、未来に向かって活かすことができる存在なのかもしれません。その意味でも、ＡＩを使いこなすために私たちが何をどう教えるか、教えないかという検討が、重要になってくるのです。

［第4章］

22世紀は自律する頭脳と共存する時代になる

ものがものを創造する社会に

その能力をフルに活かしたＡＩによって制御される自律システムや自律ロボットでつくられる近未来社会は、私たちに何をもたらすのでしょうか。

そして、その中で私たちはどう生きていくのでしょうか。

近未来の社会については悲観論、楽観論、それぞれがあります。どちらの見通しが正解なのか、今それは分かりません。しかし、よりよいものにできるように、私たちは自律について真摯に検討し、向かうべき方向性を導き出していかなければならないと思います。

ＡＩの進化、ロボットや機器の進化は止まりません。人類は技術的可能性があれば、それに向かって突き進みます。良きにつけ悪しきにつけ、人間はその探究を自制したことは一度もありません。

自然エネルギーの利用がほぼ無償になり、食料や衣料、住宅をはじめとするあらゆるものが無償でつくれる時代が訪れることは十分に可能性があります。

それを暗示するように、すでに日本の商社は、サウジアラビアでの太陽光発電で1キロワット時あたり3円を切るという桁違いに低廉な発電コストを見込んだプロジェクトに着手しています。

誰もが簡単に何でも手に入れることができる世界

イギリスの著名な経済ジャーナリストで、ベストセラー『ポストキャピタリズム―資本主義以後の世界』の著者として知られるポール・メイソンは、今後の情報技術のさらなる発展によって、物やサービスの生産費用が劇的に低下し、低価格、さらには無料で潤沢に供給される社会になると語っています。

確かに、エネルギーが無償になり、食料をはじめとする物やサービスの生産のノウハウが無償で手に入り、ロボットの利用によって生産も流通も限界まで低価格化されれば、雇用されて義務として労働し、賃金を得て物やサービスを買う、働けば働くほどより多くを獲得し消費できるようになるという資本主義社会のモデルは崩れます。

兆候はいくらでも見いだすことができます。

例えば音楽の世界では、もうずいぶん前から、ひとつの音源さえデータとしてつくってしまえば、ハードとしての金属製のディスクを生産し、流通・販売する必要はなくなっています。購入はインターネット上で一瞬で終わります。

書籍も購入の必要はありません。欲しい情報はインターネットで簡単に入手できます。すでにアメリカでは、ものとしての書物を購入して読む人より、手元の電子デバイスにダウンロードして読む人の数が多くなっているといわれます。

あるいは今、辞書や百科事典を購入し、自宅に備える人がいるでしょうか？

インターネットにつながった検索サイトに知りたい言葉を入力し、ボタンを一つ押せば、どんなことでもたちどころに参考資料の一覧が示されます。

誰でも、訪ねたこともない遠い国や都市の図書館や博物館のアーカイブの中に入り、そこから自由に、ほとんどの場合無料で、専門的な資料を手に入れることができます。

書物を出版したい人も、企画し、執筆し、編集して印刷製本して店頭に運び販売するという、この一切がその気になれば省略できるようになりました。書きたいものを書き、インターネットサイトで公開すれば、これで「出版」できます。費用はほぼゼロ。大きな注目を集めて、ここから人気作品が生まれることもあります。

今世界には18億近いウェブサイトがあるといわれ、今も刻々と増え続け、しかも基本的に閲覧は無料です。地球上のあらゆる場所の衛星画像も、瞬時に入手できます。これも無料。かつて過ごしたことのある懐かしい街や、いつか訪ねたいと思っている場所に、今すぐ行くことができ、歩き回ることができる。こんなことができると、20年前に誰が想像したでしょうか。

野菜も肉も工場で安定して生産される

食料生産もすでにロボット工場で安価に安定的に取り組まれ始めており、さらに広範囲に行われていくでしょう。

葉物類やトマトなどの野菜だけではありません。

大豆やキノコなどの植物性タンパク質を主な原料とした植物由来の人工肉が生産され、すでにアメリカ国内を中心に流通しています。大手のファストフードチェーンが本格的な販売に乗り出しており、消費者の評価も高く、市場は大きく拡大していくとみられています。特に、ミレニアル世代、その後に続くジェネレーションZと呼ばれる世代は、環境保全やアニマルウェルフェア（生き物としての家畜にストレスのない生育環境を与えるべきだとする考え方）に対する共感を持っており、世代を問わない健康志向にも後押しされ、世界で人工肉の市場は大きく拡大していく勢いです。そもそも２０５０年には97億人になると推計される地球上の人口を養うために、現在の家畜由来の食肉供給は到底間に合わないでしょう。

人工肉が食肉市場のメインになれば、この工場生産は完全に自動化され、今の家畜の飼育による食肉生産とは比較にならない低コスト・高効率で安定します。価格は一気に下がる。これもまた無料に近いものになるでしょう。

一家に1台の３Ｄプリンターが工場を不要にする

今後３Ｄプリンターが普及すれば、さまざまな物の複製が簡単に手に入るようになります。現在のローエンドの３Ｄプリンターはまだ「玩具」のような存在ですが、精度が向上し、複数の素材が扱えるようになれば、非常に大きな存在になるでしょう。設計のデータさえ入手すれば、自宅の３Ｄプリンターで、あるいは街の３Ｄプリントセンターで、カスタマイズされた1台を手に入れることができます。巨大な建屋に製造ラインを設け、人が集まってつくり、梱包して、小売店や消費者の下へデリバリーするということがすべてなくなる。これも物の価格を破壊します。

人が何もしなくても、対価を払わなくても、高度な自律システムや自律ロボットの力で、必要なものが手に入る時代が到来する可能性があります。

そして物が潤沢に行き渡れば、資源確保のために争ったり、土地を守るために戦争をする必要もありません。そもそも生物は満たされれば幸せに生きていける存在です。

物に満たされれば、人は平和に生きる

第二次世界大戦以来、世界規模の戦争は起きていません。

もちろん、ミクロでみれば、戦争や紛争はあり、困窮し劣悪な環境におかれて助けを求めている人も少なくありません。しかし総体としてみれば、世界規模の大きな戦争を起こす経済的動機はなくなっているように見えます。武力に依存したあからさまな資源の争奪も、土地の争奪もない。20世紀後半から、世界は、物質的にはある程度まかなわれ、代替

物も増え、人は新たなステージに入ったとみることができると思います。

酸素はすでに無限にあり、無償で手に入ります。特殊なことではありません。日本の古き良き里山では水も無限に手に入り、食料の自給も容易で、十分に行き渡っていました。争いや特筆すべき事件も起こりません。その恵みと平和をありがたく思い、感謝して生きていました。

今後、ＡＩやロボットなどの最先端のテクノロジーをベースに、エネルギー、水、食料が無限に供給されれば、人は争いをやめ、環境に感謝して生きるのではないでしょうか。むしろ、根本にある地球環境を持続的に維持できるように、地球温暖化や環境破壊、ごみの問題、大気汚染、海洋汚染など、生存へのリスクとなるものに共同して立ち向かうのではないかと思います。

完全にエネルギーや物質の制約から解き放たれたとき、人は宇宙へと向かうかもしれません。かつてのような窮乏や対立・支配のための進出ではない、時間や資源の余剰による新大陸開拓です。

私たちはあまりにも長く国民国家の単位で資源や食料の争奪戦を繰り広げてきたので、

こうしたことはにわかには想像しにくいかもしれません。しかし、誰にとってもものが満たされるという世界は、今では十分に実現可能なものとして展望できるようになっています。

ものが人を介せずに動くという意味では、full autonomous時代といえるかもしれません。AIが自ら賢いAIへと進化していくというバーチャルな世界におけるシンギュラリティに対して、Autonomousは、実在世界でのシンギュラリティといえるかもしれません。人が何もしなくても必要なエネルギーや食料が生産され、維持される。ものがものを生み出すという時代の到来です。

物質から完全に解放されたこの世界こそ、アップグレードされた新しい生態系のようなものだと思います。

その中で、人間はどのように生きていくのでしょうか?

そこで人間は、どんな存在理由を持つのかということです。もはや地球の"おまけ"でしかないのか。そうではないというなら、私たちはその理由を示さなければなりません。

今後の予測――自律社会がもたらすもの

近未来に何が起こるのか――今私が思い浮かべるのは、例えば次のようなことです。

（1）先ほども紹介したように物質（食料、エネルギー）のシンギュラリティがきます。

自律的に生産活動が行われるようになれば、無駄がなくなると同時に、無限に生産が可能になり、生命維持に必要な物質が飽和します。

数十年では難しいかもしれませんが、100億人を賄う能力は将来可能になるでしょう。それにより、環境負荷、紛争、貧困もなくなります。国連が提唱する持続可能な開発目標（SDGs）の多くが、解決可能になっていくと思います。広義の自律こそ、その解決の鍵を握るテクノロジーです。

そしてものが行き渡る社会は、人間が労働から脱却する社会といえるかもしれません。これまで人間だけでなく地上のあらゆる生命体は「働かざる者、食うべからず」という世界に生存していました。昆虫も魚も動物も、生命体はみなそうです。しかし、働かなくても食べられる時代になってしまうかもしれないのです。それがどういう世界なのか、今の想像力では思い描くことができませんが。

(2) 少ない人口で現状維持できる社会が誕生するでしょう。

頭数、という言葉があるように、社会を発展させていくためには、一定の人口が必要でした。人こそが、賢く自律して動くことができ、それでいて集団としても動くことができる最高の労働者だったからです。

それが自律ロボットになれば、少ない人口で現在のGDPは維持できます。人が減り自律生産能力が上がれば、豊かになり、出生率もどこかで定常化するでしょう。実際、多くのスタートアップ企業やハイテク企業が、そのようなことを標榜し、競って技術革新、ロボットの普及などに努力しています。

過渡期にある今は、人口と生産能力のバランスが取れていないので危機はありますが、長い目で見れば、少なくとも、人口が減り続けるということに懸念はないでしょう。

（3）自律頭脳が全員が正しいと思えるコンセンサス形成に論理的な助言をするようになります。共通の指導原理のようなものができるからです。

逆強化学習のようなものも駆使して、全人類の行動を学び取り、共通の価値関数を学び取る。人の鏡としてその自律頭脳が人間社会と共生し始めれば、最適解の提案（それはあくまでも提案ではあるのですが）、そういったものが与えられる時代になります。主義主張、感情論、ポピュリズム政治は、行政や富の分配といった国家の役割の中で相対的に弱まり、集団としての意思決定は、より論理的なものになるでしょう。世界中の人が、お互いに理解をする共通の土台が出来上がる可能性があるのです。

（4）教育も変わります。現在は、人が行う知的作業や将来の仕事を想定して、ニーズから教育が行われています。それについては明治につくられた時代遅れのものという指摘もあります。

自律頭脳や人工知能がもたらされる時代においては、人の役割そのものが変わるでしょう。池田潔氏の『自由と規律』という著書にもありますが、イギリスのパブリックスクールが厳しい規律の中でいかに自由の精神を育んでいるか、スポーツを通しスポーツマンシップによって公平性を教えているか、などといったことは、価値観を身につけさせるという注目すべき教育思想です。自律機械や人工知能を使うべき人が持つべき精神や設計者としての頭脳は、単に知見を得る、作業を学ぶという学問をするだけではなく、その根本を設計するための価値観や倫理が最後には大事になるからです。

(5) 長期的な視点でいえば、私たちの脳そのものも変わるでしょう。

およそ5億年にわたる生物の生存をかけた進化の枝葉の一つから、脳が特別に発達したのがホモ・サピエンスです。

脳を外部装置が代替するようになると、脳のキャパシティは余ります。将来は、賢いという基準も変わるでしょう。子孫を残す優位性が脳で決まる可能性もあります。

脳が現在のように20%もエネルギー消費をすることは無駄になるかもしれません(もっとも、食料が豊富にあればエネルギーはふんだんに摂取できるのでエネルギー消費量を気にする必要はなく、贅肉がつくように脳が余っていても問題にならないかもしれないのですが)。

また、ホモ族の分化を振り返ると、わずか数万年でも大きな変化がみられることから、とくに大脳の環境適応は早い可能性があります、そのため、一気に退化したり、別の形態に進化することも考えられます。

使わない筋肉が退化し、親知らずがなくなるように、あっという間に新たな環境に適応していくこともあり得る。もしかしたら100年のスパンで、知らず知らずに脳が違うタイプに遷移していく、などということも起きるかもしれません。

私たちは脳の持つ力を別のことに振り向け、より豊かな精神生活を送るようになるかもしれないのです……。

今後、多くの人が自律システムの社会的な効用や活用方法を考え、技術革新と応用によって、斬新なアイデアや新たな試みが生まれることを私は望んでいます。現在加速している人口減少は、消費市場の絶対的な縮小、地方の小集落の消滅、社会保障の行き詰まりなどネガティブな面ばかりが取り沙汰されていますが、それをポジティブに捉えるヒントが隠されているかもしれません。

22世紀は自律する頭脳との共存の世紀に

来たるべき自律社会を豊かで魅力あるものとして実現するためには知恵が必要です。原子力、そして遺伝子操作——革新的なテクノロジーは、素晴らしい果実と共に、人類の生存に大きな脅威を与えるものを生み出しました。自律する頭脳あるいはＡＩも、その一つです。本質を知り、きちんと管理しなければ、それは人間を滅ぼすものにもなります。便利だと浮かれている場合ではないのです。私たちは覚悟を持ってＡＩに接していかなければなりません。

そのためにも、今起きようとしている自律へのパラダイムシフトを、その本質的な意味でしっかりとつかみ取り、私たちが自覚的に歩んでいくことが必要です。日常の便利さに目を奪われてしまえば、いつの間にか自律の網にすくい取られ、自律した頭脳に支配されるということになりかねません。

人は今でも、ごく自然に持続性、平和、環境、他人との共存など、より良いと思うことにと耳を傾けます。破壊的なこと、対立や差別、他者への攻撃に進んで打って出ようという人はいません。

それを考えれば、エネルギーや食料など、生存に必要な物を得て、自律的な社会インフラをつくれば、人は内的なものを尊重しながら豊かに暮らせるのではないかと思います。たとえ今は常に競争にさらされているとしても、それが本来の人の姿とはいえないのではないでしょうか。

新型コロナウイルスに翻弄され続けた世界

近未来の社会には、自動化された機械、システムが動き、物質を満たし、そして、高度に教育された自律システムが動いています。すでにその端緒は拓かれており、自律システムもまた進化し続けるでしょう。

2020年初頭、新型コロナウイルスの世界的な伝播が起きました。

当初は中国武漢市で広がった「原因不明の肺炎」でしたが、1月には中国当局が「新型コロナウイルスによるもの」と公表、1月末には「ヒトからヒトへの感染があること」が明らかにされ、実際そこから武漢市を中心に感染が爆発的に広がり、当初は中国国内や隣接する韓国に多くの感染者が出ましたが、間もなくアジア・オセアニア、アフリカ、ヨーロッパ、さらには、北米、中南米、南米へと、全世界に拡大しました。WHO（世界保健機構）も、ついに3月11日には新型コロナウイルス感染症の流行を「パンデミックとみなせる」と発表しました。

そして、その後わずか2カ月の間に、世界で約460万人が感染し、約32万人が死亡、2020年5月の時点においても終息の気配はまだ見えません。

世界各国は、効果的な治療薬やワクチンがまだないという状況下で、それぞれ国境や都市を封鎖して人の流入を止め、また国内間の移動や人と人の接触を控えるよう命令したり、要請をしたりしながら、大規模なイベントはもとより、商店の営業を控え、人を家にとどめさせて感染拡大を必死に止めようとしてきました。しかし、膨大な感染者・犠牲者が出ることを防ぐことはできませんでした。5月半ばには急カーブを描く感染者の増加こそなんとか抑えられましたが、第2波、第3波への備えを怠ることはできず、正常化までには数年を要するのではないかという見方もあります。

果たして1月末以降、各国の指導者が下した判断と対処は客観的なものだったのかどうか。経済活動の維持にこだわったことによる判断の遅れ、政策決定する側の人々の思惑や自己保身、油断などの主観性の介入がまったくなかったとはいいきれません。

AIが管理する自律社会だったらパンデミックは防げた？

もしも自律したAIに社会システムの維持を託した近未来社会であったら、新型コロナウイルスの事件は、どういう道を辿っただろうかと思わずにはいられません。

社会の隅々までカバーし、24時間、休むことなく人の動きや健康状態を管理するシステムは、おそらく極めて早い段階で、どこにどんな発熱者の分布があるか、初期の肺炎症状が診て取れる人がどれだけいるかということをキャッチしたでしょう。そして、集められた臨床データからは、新型コロナウイルスの発生が明らかにされたはずです。同時に、感染の爆発的拡大の可能性を予知したのではないでしょうか。現状の社会活動が続けば、どこに、どのようなスピードで感染拡大が進むか、一刻も早く、一人でも少なく感染を抑え込むために取るべき行動と構築すべき検査・医療体制がどのようなものかということについての指針も打ち出されたでしょう。

さらに詳しく、その対処策の実行のために必要となる医療資源の計算と配分、実際の配備や態勢づくりまで采配するはずです。また、食料生産や生産活動も自動的に維持されていたはずです。

そこに人の思惑が入り込む余地はありません。システムが冷静に数値だけを見て判断すれば最善の行動が取れるのです。

報道では、他国に先んじて医療体制を整えるための時間稼ぎや、政治目標を優先したいと考えた政治家の思惑などから、各国における指導者の対応は、必ずしも最適といえるものではなかったという指摘もあります。その指摘は決して的外れとはいえないでしょう。人間が主導する場合の避けられない一面だともいえます。ＡＩが管理する自律社会であったらそれは防げた。それは来たるべき自律社会のポジティブな側面です。

理想の未来をＡＩと共に実現する

新型コロナウイルス感染症の世界的な蔓延は、今後、自律するロボットを活用した新しい社会システムの確立を急ごうという世論を、世界各地で喚起するでしょう。ロボットによる配送はもちろん、さまざまなサービスの無人化・遠隔化が進み、人と人のリアルな接触は後退。介護や生活サービスには、ロボットが最も安心だということになるはずです。

自律ロボットとの共生の時代は、想像よりずっと早く訪れるかもしれません。

有効なワクチンも、治療薬もない以上、世界は今しばらく、「withコロナ」（コロナと生きる）というべき時代を生きなければなりません。それは、戦後一貫して続いてきた私たちの意識を大きく変えないわけにはいきません。その中で用意される「post コロナ」（コロナ後）の社会は、リアルな世界における人と人のつながりにではなく、バーチャルな世界も駆使しながら自分の内面の充実に、より大きな価値を見出す社会であり、同時に、さまざまなロボットなどの「自律システム」と共存する社会だろうと思います。

ＡＩを実装したさまざまなモバイル端末や家電、自動運転車や自動ドローン、そしてまだ見ぬ新たな機械が私たちの生活、社会の中に組み込まれてきます。それが私たちの隣人になる。

その教育をどうするか、どのような指導原理を与えていくかということについて、急いで考えていかなくてはなりません。

先ほども紹介したマックス・テグマークは「AIによって人間はどうなるのか」と問うことは間違っていると指摘します。それはただ未来が向こうから訪れるのを傍観者として待っているだけだからです。そうではなく「私たちはどうなりたいのか」と問うべきであり、それをAIとともに実現する方法を見つけ出さなければならないと語っています。

その通りだと思います。

足下をしっかりと固め人類の新たな未来を冷静に見通し、AIという自律する頭脳を持つ道具を従えて前に進んでいくこと、それが21世紀を生き、平和で美しい22世紀の地球を後代に手渡す私たちの歴史的な役割です。

21世紀は、自動化が完成する〝自動化の世紀〟になるでしょう。

そして22世紀は、自律ロボットと人類が80億対80億で存在する新たな世界になるかもしれません。

人類史上初めて登場するこの〝共存〟を、私たちはいかに生きるのか――

人類をバージョンアップして新たに歩み始める壮大な世界への道はすでに拓かれており、好むと好まざるに関わらず私たちはその途上にあります。

自律へのパラダイムシフトを、自律への探求をさらに深めながら歩んでいかなければならないと思います。

おわりに——石器からコンピューターへ

「自律」や「自律思考」といった言葉が、IT関係の書物や記事にたびたび見られるようになってきました。自律へのパラダイムシフトを通して、人類はかつて経験したことのない世界へと足を踏み入れようとしています。

ところが「自律」ということの本質が明確になっているかといえば、それはまったく心許ないといわざるを得ません。

単に高度に自動化されただけのものが自律の範疇で語られたり、逆に、自律する機械は夢物語でしかないと切り捨てられたりしています。しかし、自律を過小に扱うのも、過大に受け取るのも、いずれも訪れようとする自律社会の持つ意味を見失うことになってしまいます。

もう一度、自律ということの意味を明確にし、自動から自律への"飛躍"がどうすれば人間にとってポジティブなものになるのかを考えなければいけないと思って執筆したのが本書です。

私は自律について思いを巡らせながら、それを導くことになった自動の追求がいつ始まり、どのような過程を経てコンピューターという人間の頭脳活動を代替する究極の道具の発明に至るのか、ということを考えていました。

過去のあらゆる道具は、力の補強や効率化のために、人が選び、人が主体となって使いこなすものでした。しかし私たちがコンピューターを発明したとき、道具は私たちが使うものから、私たちを使うものへと逆転します。つまり、人間の道具史は、自律する近未来への必然的な歩みを用意するものでもあったのです。本格的に論じるには稿を改めなければなりませんが、石器に始まりコンピューターに至る道具の歴史も、また興味深いテーマです。本編では触れられませんでしたが、最後に駆け足で振り返っておきましょう。

始まりは手のひらに入る小さな石器でした。

人類（ホモ属）が地上に姿を現したのはおよそ250万年前のことだといわれます。夕ンザニア北部のオルドバイ遺跡からは人類最古のものと推定される石器（握斧）が出土しています。ライオンなどの大型肉食動物を警戒しながら、比較的小さな動物や昆虫、植物などを狩猟・採集して生活していた人類の最初の道具がこの石器でした。

獲物に対して、握りしめた拳とは比較にならない打撃を与えられるだけでなく、首尾よく仕留めた動物の皮を剥ぎ、肉を切り裂くこともできました。

人の持つ能力の生物的な限界を高めるための道具として、人の柔らかな手を強く、爪を鋭くする――その役割を果たしたのが石器です。

丸裸の人の身体機能は、哺乳類としての猿にまさるどころか、弱い脆弱な存在でした。捕食されることにおびえながら、ものを採取していた存在だったはずです。常に食料は不足しており、死と隣り合わせでした。いかに生き抜いて、子孫を残すか。その確率を高めることができたものが、生き残っていったのです。

石器はその後、鉄器へと進んでいきます。食料保存用の壺、物を運搬するための車輪を使った荷車や馬車、水上を進む船、さらに寒冷地での活動を可能にし、ケガを防ぐ服や靴も、人間の持つ能力を高めるという範疇の道具だったといっていいでしょう。

なかでも、火を手に入れたことは特筆すべき出来事でした。

火は大型の動物から身を守る手段になり、暖を取ることも、照明や合図などの用途にも使えますが、なんといっても大きな意味を持ったのは食物の加熱処理を可能にしたことです。

あらゆる食材は、加熱すれば食べやすくなり、消化しやすくなります。生の状態では食べられなかった植物が食料に変わり、吸収できなかった栄養分も吸収できるようになる。火を使うことで人類は大量のエネルギーを摂取できるようになります。

そうして得たエネルギーが脳を大きくしました。

脳が優れていればいるほど、生き残ることに有利であり、さらに進化していきます。他方で、それを使いこなせずに無駄に大きな脳になってしまえば、ただのエネルギーの浪費です。大きな脳は使わなければいけない。使うことで、栄養になる食料を巧みに得たり奪ったりして生きていく。自分の脳を食べさせるために、さらに貪欲に活動の幅を広げることになるのです。

そしてこの飛び抜けて大きな脳の最大の功績が言語の創造です。

もともと人類（ホモ属）にはホモ・サピエンス以外にも多くの種が存在していました。通称ネアンデルタール人（ホモ・ネアンデルターレンシス）は、ヨーロッパや西アジアに生存、ヨーロッパで最も優勢なホモ族であったといわれています。他にも、インドネシアで暮らしていたホモ・ソロエンシスやホモ・フローレシエンシス、シベリアにいたホモ・デニソワなどが知られています。

アフリカにもホモ・ルドルフェンシスやホモ・エルガステルと呼ばれる種が存在しました。体格や脳の大きさ、性格はさまざまだったといわれます。しかしいずれも同じホモ族に属する仲間です。

これらのホモ属がどこでどのように出会い、共存し、交配したのか、あるいは戦ったのか。古代DNAの解析技術が急速に進歩するなかで、今まさにその歴史と系統図が書かれようとしていますが（例えばデイヴィット・ライク著『交雑する人類　古代DNAが解き明かす新サピエンス史』）、歴史学者のユヴァル・ノア・ハラリはホモ・サピエンスがアフリカを出てネアンデルタール人などの先住の種に遭遇するたびに他の人類種に取って代わり、各地のさまざまな生息環境に適応し、唯一の人類として勢力を拡大してきたことは明白であると指摘します。そして、その武器となったのがホモ・サピエンスだけが持っていた高い言語能力であったというのです。

言語があったからこそ、意見を交換し、保存し、学習の蓄積につながっていきました言葉を使えば、一人の学びを広く伝え、継承することができます。新たな食材や調理法の発見、動物の捕獲方法、より使いやすい道具の工夫やその伝承も可能です。人間同士の協力も可能にします。一人では決して勝てないマンモスやライオンにも言語を通して意思統一を図った集団であれば勝てる。さらに思考することや物語を創造することが可能になり、それを集団で共有することもできます。共通の物語を持った集団の結束は固い。

身体機能の延長としての道具に加え、火を獲得したことがエネルギーの効率的な摂取を可能にして巨大な脳をつくり、その脳をベースにホモ属のなかでもなんらかの理由でホモ・サピエンスだけが高い言語能力を獲得したことが、唯一の人類としてその後の地球に君臨することを可能にしました。

そして、その脳を維持し、エネルギー確保のために食欲をさらに昂進させながら、もっと生存率を高めるにはどうしたらいいか、永遠に続く学習の始まりとなったのです。

アルゴリズムも人工知能も、ある種の言語で書かれています。つまり、言語こそが、本書の主題である人工知能、自律機械の誕生の最初のきっかけといっても過言ではありません。言語が生まれ、人類の記録を保存し始めた瞬間から技術の蓄積は始まっており、現在の、自律した人工知能の誕生につながっています。

唯一の人類として地上を支配したホモ・サピエンス（以下では人あるいは人間と呼びます）は、長く続けた狩猟採集生活から、農耕生活へと転換します。小麦、トウモロコシ、ジャガイモ、稲などの穀物栽培が各地で始まります。人は耕作のために土地を改良してその周囲に定住するようになり、それに伴って都市機能を発達させました。住宅や市場、遊技場、寺院などが生まれます。

農業は、未来という時間概念を創造するものでもありました。狩猟採集生活は、今あるものを獲り、消費するだけです。獲れなければ飢えるしかない。しかし農業は、種を蒔き、育て、そして将来のある時点で収穫する。天候という不確定要素はあるにしても、未来を想定し、計画的に行動するという時間の概念を新たにもたらすものでした。

さらに、人が集まって暮らせば、一人ですべての生活用品を賄う必要はありません。分業が生まれ、交換が生まれる。交換を支える貨幣が生まれる……。集住、分業、交換、貨幣、そして未来という時間概念——農耕生活への転換は、現代社会の骨格となるもののすべてを用意しました。

農業の開始と土地への定着、都市への集住はさまざまな産業創出のきっかけをつくり、また農業はそれによって養うことのできる人口を大幅に拡大し、大量の労働力を供給します。そこに現象を、観察されたデータをもとに普遍的な法則として明らかにする科学的手法が合体され、技術をベースに工業化が一気に進みます。

工業社会を大きく発展させた最も大きな道具は動力機関でした。

イギリスに端を発する産業革命が世界へと広がりました。馬車で活躍した車輪は蒸気機関と組み合わされて近代的な鉄道となり、生物的エネルギーを圧倒的に上回る移動手段、輸送手段になりました。

やがて電気が発明され、この新しい形態のエネルギーは生産性を飛躍的に向上させるとともに、さまざまな新しい技術の基盤となりました。

これらの一連の急速な生産性の向上は、18世紀以前も少しずつ起きてきたのですが、特にアメリカにおいて18世紀以降の約100年で一気に進みます。それは、その後の情報通信革命を凌ぐ一回きりの大きな社会変革をもたらすものだったと分析するのは、アメリカの経済学者ロバート・J・ゴードンです。

著書『アメリカ経済　成長の終焉』でゴードンは、南北戦争が終わり、1869年に初の大陸間横断鉄道が開通し、北米を中心に巨大な経済圏が形成されて以降の、二つの世界戦争を挟む1970年までの100年間が人々の生活や生活水準の向上に非常に大きな影響を及ぼしたと語っています。

アメリカという国は広大で、また、投資をすればリターンが得られる資本主義の新世界でした。ここまでに人が編み出したあらゆる技術、科学、道具は、最新技術として一気に社会実装されたのだと思います。そして生産性向上という意味で巨大なインパクトを持った道具の開発と普及に続いたのが、コンピューターとインターネットでした。

20世紀の最初の頃、科学者は原子などものの根本を探るいわゆる量子力学にいきつきます。それが、2度の戦争での科学技術の競争を経て、わずか数十年で半導体という材料を使いこなすようになっていく。軍事技術として、計算する脳としての装置ができるのです。

それが、フォン・ノイマンによるコンピューターの発明です。

コンピューターは急速に性能を上げ、同時に小型化を遂げながら、産業用機械の制御に、また、家電製品、情報インフラ、インターネット、Windowsなどのソフト、ゲームなど、あらゆる道具に入ってきました。

コンピューターはまず、人が書き下したアルゴリズムによって人の作業を自動で高速処理するという意味で使われてきました。人がすべて設計し、ルール化したとおりの答えを導くための計算に使われ、さまざまなものの制御に使われるようになっていったのです。

コンピューターは従来の道具とはまったく異質なものでした。

ナイフは物を切ることしかできず、単一の目的にしか使えません。しかしコンピューターは、ありとあらゆる現象を分析し、再現することができます。極めて汎用的な道具であり、人の頭脳が行ってきた計算や記憶を、人よりも圧倒的に速く大量に担うことができる道具です。

しかもコンピューターは、人類が言語を通して知見を蓄えたように、学習したことを世代を超えて受け継いでいくことができます。言語や書物の形をとった知見とは異なり、デジタル情報は扱いやすく、易々と世代をまたいでいきます。コンピューターのなかの情報は、人が死に、子どもが育ち、学校教育を受けるという繰り返しを辿る必要もありません。まったく失われることなく賢く大きな脳になっていくのです。

さらにコンピューターの指示に従って精緻に動く「リアル」なハードウェアが合体して、さまざまな機械やロボットが誕生しました。

あらゆるものの自動化がここから一気に進みます。

そして自動から自律へ、その歩みは本書で見てきたとおりです。

人が自らの生物的能力を高めるために発明し、肉体に装備した道具は、その進化の果てに「思考機械」を生み出し、それは自律して人間を支配する存在になろうとしています。その頭脳となるＡＩは、生命とは異なり、ゼロから構築された価値をもとに、判断を下してくるようになります。道具の発達史は、自律する「新たな生物」の誕生の歴史であるともいえるでしょう。しかし、これはもう本書とは別の主題です。

冒頭でも触れましたが、私は物理学者を目指し、核融合、高温プラズマ研究の世界で世界的に高名な理論物理学者のもとで研究生活を送りました。しかし、その先生は私が博士2年、26歳のときに逝去されました。

そのような人生の大きな転機もあり、私はその後純粋な学者を目指すという方向から転換して大学を去り、京都の企業で当時の青色ＬＥＤ分野の研究を任され、その時、アメリカで活動されるカリフォルニア大サンタバーバラ校（ＵＣＳＢ）の中村修二先生に出会いました。その後、幸運にも招聘され渡米、ＵＣＳＢでの研究活動と合わせてスタートアップを手伝う経験によってアメリカにおける学術研究とビジネスの背中合わせの状況を経験しました。

２０１０年に帰国後、しばらくコンサルタントの仕事に就き、２０１８年3月からは自律制御システム研究所（ＡＣＳＬ）というテクノロジースタートアップの経営を担っています。お名前はここでは挙げませんが実業界においても多くの方々との出会いに恵まれ、多様な見識を学ばせていただいています。

本書は、自律が大きな社会的テーマになっていながら、それについて正面から論じた書物がないと感じたことから、専門用語に頼らない執筆が間違った解釈を与えるかもしれないという不安がありつつも、今後の活発な議論の呼び水になればと思って執筆しました。哲学的な意味合いも醸す自律という概念をしっかりと理解することは、将来の社会がどう変わるかの予測にもつながります。自律の発想を活かした新たなビジネスのアイデアやキャリア選択のヒントを提供することもできるのではないかと思います。

参考文献・資料

『サピエンス全史（上、下）』（ユヴァル・ノア・ハラリ著、柴田裕之訳、河出書房新社）
『ホモ・デウス（上、下）』（ユヴァル・ノア・ハラリ著、柴田裕之訳、河出書房新社）
『交雑する人類　古代DNAが解き明かす新サピエンス史』デイヴィット・ライク著、日向やよい訳、NHK出版
『アメリカ経済　成長の終焉（上、下）』（ロバート・J・ゴードン著、高遠裕子・山岡由美訳、日経BP）
『AI以後―変貌するテクノロジーの危機と展望』（丸山俊一＋NHK取材班編著、NHK出版）
『LIFE3・0』（マックス・テグマーク著、水谷淳訳、紀伊國屋書店）
『〈インターネット〉の次に来るもの』（ケヴィン・ケリー著、服部桂訳、NHK出版）
『自由と規律』（池田潔著、岩波書店）
・脳の構造について　http://bsi.riken.jp/jp/youth/know/structure.html

太田 裕朗（おおた ひろあき）

株式会社自律制御システム研究所（東証マザーズ6232）代表取締役。以前は、ローム株式会社、京都大学大学院工学研究科航空宇宙工学専攻の助教を経て、米国カリフォルニア大学サンタバーバラ校にて研究に従事。帰国後、マッキンゼー・アンド・カンパニーに参画。京都大学博士。

本書についての
ご意見・ご感想はコチラ

AIは人類を駆逐するのか？
自律（オートノミー）世界の到来

二〇二〇年　六月三〇日　第一刷発行
二〇二三年一一月一三日　第二刷発行

著　者　太田裕朗
発行人　久保田貴幸
発行元　株式会社　幻冬舎メディアコンサルティング
〒一五一-〇〇五一　東京都渋谷区千駄ヶ谷四-九-七
電話　〇三-五四一一-六四四〇（編集）
発売元　株式会社　幻冬舎
〒一五一-〇〇五一　東京都渋谷区千駄ヶ谷四-九-七
電話　〇三-五四一一-六二二二（営業）

印刷・製本　シナノ書籍印刷株式会社
装　丁　弓田和則

検印廃止

Printed in Japan　ISBN978-4-344-92814-5　C0036
幻冬舎メディアコンサルティングＨＰ　https://www.gentosha-mc.com/